D1503269

ALEXANDRE JARDIN

LE SECRET DES COLORIÉS

SANS ADULTES
Tome II

Illustré par Ingrid Monchy

GALLIMARD JEUNESSE

En 1980, sur l'île de la Délivrance, quelque part dans le Pacifique Sud... Ari Chance, dix ans, a la vie dure ! Rejeté par ses parents et par son frère Casimir, brimé par son maître d'école, M. Silhouette – un homme pervers dont l'unique plaisir est d'humilier ses élèves –, il décide un jour de s'enfuir.

À la même époque, tous les adultes de l'île se déclarent volontaires pour porter secours aux habitants d'une île voisine victimes d'un ouragan. Les enfants sont laissés à la garde de M. Silhouette, qui ne tarde pas à les terroriser. Les parents ne reviendront pas. Sous la conduite d'Ari, l'insoumis, une révolte éclate alors, et l'instituteur est tué.

Ari délivre les enfants désormais seuls du joug que leur imposaient les grandes personnes. Il fonde la première civilisation sans adultes, une société toujours en vacances dont les membres se peignent le corps au lieu de s'habiller, vivent dans les arbres, écrivent en rébus... Il invente une vie de fantaisie et de liberté. Il devient le chef du peuple des Coloriés.

Casimir s'oppose à Ari. Au terme de multiples péripéties, il s'enfuit. Les enfants grandissent, bientôt des bébés naissent, mais il n'y a toujours pas d'adulte sur l'île de la Délivrance...

Cependant, Dafna, une Coloriée espiègle et délurée, veut savoir ce que sont devenus ses parents. Elle décide de partir à leur recherche, plus de vingt ans après leur départ, et s'embarque pour la France... Nous sommes en 2003.

I
BIENVENUE
CHEZ LES CULOTTÉS

1

Les grandes personnes sont de drôles de gens; enfin non, justement, pas si poilantes que ça. C'est bien là le problème. Elles ne peuvent pas s'empêcher de sérieuser en croyant que pour avoir raison il faut forcément voir les choses en noir! Elles appellent ça «voir les choses en face». Dafna devait en faire l'expérience inattendue...

Alors qu'elle voguait tranquillement vers l'île de Pitcairn, elle eut le bol de croiser en haute mer un paquebot qui lui parut un jouet aux proportions extraordinaires : une muraille d'acier qui taillait sa route au milieu des vagues! Très étonné de rencontrer une jeune femme dans ces eaux glaciales du Pacifique, le commandant du navire géant fit stopper les machines et s'approcha lentement du voilier minuscule. Tout de suite il eut la trouille pour cette navigatrice solitaire (normal, vu que les adultes sont obsédés par la sécurité). La voile blanche de Dafna, frappée d'un point d'interrogation rouge, l'intriguait. Ce pavillon mystérieux ne figurait dans aucun code maritime.

Inquiet donc pour cette femme, le vieux marin descendit sur le pont principal et demanda à un matelot de lui apporter un porte-voix. L'arrêt brusque du ronronnement des machines avait provoqué à bord du navire de croisière une agitation bruyante. Les passagers fortunés se pressaient de toutes parts pour voir ce qui se passait. Avait-on affaire à une naufragée, une âme en détresse ? Que pouvait bien faire cette solitaire dans une partie du globe si inhospitalière ?

– Madame ! cria le commandant en direction de Dafna. Êtes-vous en bonne santé ? Votre radio ne répond pas ! Avez-vous besoin de quelque chose ?

– Z'avez de quoi goûter ? Du lait chaud ? Un peu de miel ? demanda Dafna.

– Que dit-elle ? demanda le commandant Flag à Erwan Lagadec, son second.

– Je crois, monsieur, que cette dame a émis le souhait de... de goûter !

– De goûter ? reprit le commandant surpris. Mais quel âge peut-elle avoir ?

– La trentaine il me semble, bien qu'elle porte... des couettes et une robe chiffonnée.

– Des couettes de... de gamine ? s'étonna le loup de mer.

Le commandant Flag ajusta ses lunettes épaisses, s'empara à nouveau du porte-voix et interrogea Dafna pour savoir où elle se rendait à bord d'un si frêle canot :

– Je cherche ma maman ! répondit Dafna sans malice.

Déconcertée, la foule des voyageurs qui ne cessait de grossir arrêta brusquement de jacasser. Personne parmi tous ces gens sérieux ne s'attendait à une telle réponse.

– Vous êtes au milieu de la mer, fit observer Flag.

– J'ai remarqué ! répondit Dafna qui se demandait vraiment si on la prenait pour une gourde. Même que j'suis cap de mariner mon bateau toute seule, comme une grande ! Mais je cherche ma maman. Vous ne l'auriez pas croisée, par hasard ?

– Selon toute vraisemblance, commenta le second plongé dans la perplexité, cette... innocente a perdu la raison !

– Vous n'avez pas vu une maman ? poursuivit Dafna en criant.

– Elle prétend rechercher sa mère ? murmura le commandant qui se demandait s'il avait bien compris.

– En effet, monsieur..., répondit Lagadec.

– Elle est un peu timbrée, non ?

– Mon commandant, vous paraît-il approprié de laisser une simplette au milieu de l'océan Pacifique ?

Le commandant Flag réfléchit un instant, saisit le porte-voix (avec une idée derrière la tête) et se pencha par-dessus le bastingage.

– Mademoiselle, voulez-vous de l'aide ?

– Pas mademoiselle, madame ! se rebiffa Dafna. Si j'me suis déguisée en dame, c'est pas pour des prunes ! Mais... vous connaissez ma maman ?

– Peut-être, fit le marin avec habileté. Je connais beaucoup de mamans en Europe.

– Alors j'veux bien faire la balade avec vous... si Maximus peut m'accompagner.

– De qui parlez-vous ? demanda Erwan Lagadec qui ne voyait personne d'autre dans le petit bateau.

– Maximus, mon chien invisible.

– Invisible..., répéta Lagadec dérouté.

12

– Bien sûr ! coupa Flag d'un air entendu en dévisageant son second pour qu'il se taise. Nous aimons beaucoup les chiens imaginaires ! N'est-ce pas capitaine ?

À partir de cet instant, les deux hommes furent convaincus que cette jeune téméraire avait un grain sérieux, enfin façon de parler parce qu'elle n'avait visiblement pas grand-chose de sérieux. On fit aussitôt descendre une chaloupe qui servit d'ascenseur à Dafna et à son chien aussi fidèle qu'absent. Tandis que son visage espiègle de coquine atteignait peu à peu la hauteur du bastingage, Dafna découvrait le navire splendide avec des yeux gourmands qui ne cessaient de s'écarquiller.

– Wouah! s'écria-t-elle en bondissant sur le pont à la manière d'un chimpanzé. Viens, Maximus… Au pied!

L'animal imaginaire se précipita à ses côtés puis elle lança aux passagers agglutinés :

– Bonjour les Culottés, c'est moi que v'là!

Le commandant Flag et Lagadec, sanglés dans leur bel uniforme, virent alors s'avancer devant eux une fillette de trente-deux ans accoutrée comme une femme. Ses vêtements semblaient sortir d'une malle à déguisements. Avec une dignité affectée, Dafna trimballait sa valise de grande personne et chacun put bien voir qu'elle était escortée par un chien effectivement invisible. Vaguement anxieuse, la foule de Culottés s'écarta un peu.

– Tu l'as eu comment? demanda Dafna.

– Quoi? répondit Flag.

– Ce jouet poilant.

– Quel jouet?

– Le bateau! Tu l'as gagné aux dés?

– Mademoiselle…, commença Lagadec.

– Madame ! rectifia Dafna vexée.

– Madame, reprit le capitaine Lagadec ébahi en articulant bien chaque mot, d'où sortez-vous ?

Chacun tendit l'oreille. Tout le monde voulait connaître l'origine exacte de cette énergumène qui voguait seule avec insouciance sur l'un des océans les moins fréquentés de la planète.

– C'est un secret, répondit Dafna avec un petit air mutin.

– Vous n'aviez pas peur, seule ?

– Non, je préfère mes envies à mes trouilles. Et puis j'ai confiance.

– En quoi ?

– En mes envies. La preuve, vous êtes arrivés !

Puis, changeant tout à coup d'expression, Dafna balbutia avec répugnance en dévisageant les touristes :

– Mais, mais… y a que des vieux ! Fripés comme des vieilles pommes !

– Pardon ? fit le commandant Flag, ahuri.

– Y a pas d'enfants ici ? continua Dafna, soupçonneuse.

Elle se trouvait effectivement en présence d'une masse impressionnante de retraités ridés qui, pour la plupart, avaient atteint un âge déraisonnable à ses yeux ! En 2003, les plus âgés des Coloriés ne dépassaient pas les trente-six ans. Ari ayant interdit l'usage des miroirs sur l'île de la Délivrance, Dafna n'avait jamais détaillé son visage de femme dans une glace. Elle imaginait toujours que sa frimousse était restée celle d'une écolière de neuf ans.

– Vous allez mourir bientôt ? demanda-t-elle émue en

se laissant submerger par de grosses larmes qui coulaient sur ses joues fraîches. J'veux pas que vous deveniez des squelettes... Pas tout de suite !

Mal à l'aise, l'assistance se dispersa. Tout le monde paraissait gêné par le comportement de cette fille bizarre qui se permettait de dire la vérité et de vivre avec imprudence. Fasciné, le commandant Flag s'approcha de Dafna et lui tendit son mouchoir en essayant de la réconforter :

– Votre attention nous touche, mademoi... madame, mais rassurez-vous : personne ici n'a l'intention de mourir.

– Où sont passés les enfants ? demanda Dafna en reniflant. Vous les avez enfermés dans une école ?

– Il n'y a pas d'enfants sur ce bateau.

– Vous les avez tués ? lança-t-elle en frémissant d'horreur.

– Non, nos chers petits sont restés tranquillement en Europe.

– Le pays où on élève les mamans ?

– Comment vous appelez-vous ? demanda Lagadec, de plus en plus estomaqué.

– Dafna.

– Dafna comment ?

– Comment ça s'écrit ? Avec des lettres d'adulte, j'sais pas trop. Mais en rébus…

– Non, corrigea Lagadec, votre nom de famille. Comment vous nommez-vous ?

– J'ai pas de famille. J'suis pas une Culottée.

– Le nom de votre mère, s'il vous plaît ! Comment l'appelez-vous ?

– Ma maman je l'appelle maman. Mais comme elle est partie, je l'appelle pas.

– Sur vos papiers, qu'est-ce qui est écrit ? s'énerva Lagadec. Tonnerre de Brest, vous avez bien une carte d'identité ! Arrêtez de faire l'enfant !

– Pourquoi tu me grondes ? sanglota soudain Dafna. Tu me fais peur avec ta grosse voix… Maximus, il va te mordre le slip si tu recommences !

– Vous possédez bien des papiers d'identité ou un passeport pour prouver qui vous êtes, reprit le commandant avec calme.

– Je sais qui j'suis ! J'ai pas besoin de papiers pour en être sûre, même si Ari m'a dessiné un joli passeport rouge.

Dafna ouvrit son bagage de cuir et en sortit un étrange document qui ressemblait davantage à un coloriage qu'à un passeport. Fièrement, elle le tendit au commandant.

– Regarde, tout est écrit là-dedans en lettres, et pas en rébus. Y a qui je suis, à quoi je sais jouer, qui je sais imiter et tout le tintouin. Et dans ma valise j'ai que du matériel d'adulte : un sac de dame, du vrai argent copié comme il faut, des clefs de grand, un agenda en bois. Je me suis même dessiné une montre sur le poignet avec deux aiguilles. J'suis en règle !

– Mais enfin…, murmura Flag abasourdi, d'où venez-vous ? Que faisiez-vous sur cette coque de noix au milieu de nulle part ? Et comment pensiez-vous retrouver votre mère dans un endroit pareil ?

– En revanche, je fais jamais de projets, dit Dafna en bâillant. Je joue avec ce qui m'arrive en revanche. Et pis là, en revanche, j'ai surtout envie de faire la sieste.

– Pourquoi dites-vous tout le temps « en revanche » ?

– Il paraît que ça fait adulte…, répondit-elle en s'étirant.

– Mais vous êtes une adulte ! s'exclama le capitaine Lagadec.

– T'as un hamac ?

Le commandant Flag n'eut pas le temps de répondre. Dafna s'endormit aussitôt en se laissant tomber dans les bras du second ! C'était l'heure de sa sieste.

– Commandant, j'ai l'impression que cette fille vient de tomber du ciel ! Personne n'habite dans ces parages en dehors des Pitcairniens. Mais ce sont des gens rudes qui n'ont rien à voir avec cette…

– En attendant, trouvez-lui une cabine pour qu'elle fasse… la sieste !

– Après je veux mon goûter…, murmura Dafna ensommeillée en suçotant son pouce.

– Que va-t-on en faire, commandant ?

– Ou elle est folle ou elle se paye notre tête. Ou encore…, murmura le vieux marin troublé.

– Ou encore quoi ?

– Ou elle a un secret.

2

Le commandant Flag accepta de conduire Dafna jusqu'en France, «là où on élève les mamans». Jamais encore le marin n'avait rencontré une délurée pareille. Dafna semblait jouir de chaque instant. Elle se poilait sans cesse alors que les grandes personnes qu'il fréquentait étaient animées par plus d'inquiétudes que d'appétits : peur de l'avenir, d'être abandonné par leur conjoint, d'être ridicule ou jugé, etc. Toutes craintes qui n'effleuraient même pas Dafna. Elle était comme propulsée par une joyeuse confiance en la vie.

Pour payer son voyage, elle dessina gaiement pour le commandant de faux billets de banque avec une habileté prodigieuse. Le soin et le plaisir qu'elle mettait à reproduire la monnaie européenne, en se mordant la langue, lui donnaient des airs de bonne élève.

Lors du premier grand dîner auquel elle assista, elle surgit dans la salle à manger en gambadant à moitié nue. Un silence de stupéfaction s'abattit sur les convives. Chacun prit alors Dafna pour une danseuse brésilienne

19

échappée du carnaval de Rio. Son corps ravissant était recouvert – si l'on peut dire – d'une fausse robe du soir qu'elle s'était peinte à même la peau. Ses bijoux énormes étaient également des trompe-l'œil (exécutés avec une virtuosité saisissante). Son apparition tourbillonnante fit sensation! À la table du commandant, Dafna tutoya aussitôt tout le monde avec une désinvolture à la fois touchante et vexante. Elle demanda sans gêne aux dames âgées comment elles avaient pu accepter de devenir si ridées et aux messieurs si ça les embêtait vraiment d'avoir perdu presque tous leurs cheveux.

– Ce n'est pas gentil de faire ce genre de remarques, lui fit observer le commandant à voix basse.

– Je sais.

– Alors pourquoi le faites-vous? s'étonna-t-il.

– Parce que ça me donne du plaisir d'être un peu méchante de temps en temps, répondit-elle. Pas toi? Tu n'aimes pas arracher les pattes des insectes? Ou faire pleurer les filles très amoureuses de toi?

– Vous paraissez, madame, dénuée de tout sens moral.

– En revanche oui…, soupira-t-elle en piquant des frites dans l'assiette de son voisin sans lui avoir demandé la permission.

– Ce n'est pas bien d'être méchant.

– Non, c'est la triche qu'est pas bien du tout…, répliqua Dafna. Il ne faut jamais faire des parties avec les tricheurs.

– Je suis assez d'accord avec vous…, murmura le vieil homme malicieux à qui elle avait volé quelques frites.

– À quoi tu joues dans la vie, toi? lança Dafna.

– Je suis banquier. J'achète et je vends des propriétés.

– Ah, tu monopolyses…

– Pardon ? fit le banquier (tandis qu'elle continuait à manger ses frites).

– Dans ma cabane, poursuivit Dafna, j'ai un Monopoly tout usé. Je connais ce jeu… C'est cruel, j'adore ! Mais… on dirait que tu serais banquier ou tu l'es pour de vrai ?

– Je, je…, bégaya le financier qui se demandait si Dafna était sincère ou si elle se payait sa tête.

– Mon nom est Mac Morning, lança un autre homme d'affaires qui ne perdait pas une miette de la conversation. Je possède une chaîne de magasins de jouets en Europe, les magasins *Cheyenne*. Voici ma carte. Je réside actuellement à Paris, France.

– Ta carte…, fit Dafna perplexe en manipulant l'objet. Ça sert à quoi ?

– À…, fit Mac Morning soudain muet de surprise.

– On peut en faire une catapulte ou un tremplin pour fourmis…, commenta Dafna en testant la flexibilité du bout de carton.

– On peut également s'en servir pour me contacter, reprit Mac Morning.

– C'est un téléphone secret ? demanda Dafna excitée.

– Non, mon adresse et mon numéro de téléphone sont indiqués dessus.

– En lettres… et avec des vrais chiffres.

– Oui, de vrais chiffres. Il me plairait d'envisager de… comment dire ? Oui, de travailler avec vous, *by Jove* !

Dafna renvoya aussitôt sa carte de visite à Mac Morning d'une pichenette agressive.

– Moi pas ! s'exclama-t-elle. Je suis contre le travail !

– À quoi jouez-vous dans la vie ? lui demanda alors le banquier assez astucieux pour entrer dans son jeu.

– Je ne monopolyse pas, répondit Dafna. Je n'aime pas non plus ballonprisonnier les garçons. Me déguiser en juge avec une robe rouge, ça m'ennuie aussi. Ce que je préfère, c'est raconter des histoires rigolotes dans un journal.

– Vous êtes journaliste ? s'enquit Mac Morning.

– Oui, je suis farceuse. Je raconte des fables, des devinettes, des bobards, des histoires quoi.

– Vraies ou fausses ?

– Quelle différence, si elles sont bonnes mes histoires ?

– Ne dites pas n'importe quoi ! objecta une retraitée agacée, coiffée d'un large chapeau. Il y a ce qui est exact et ce qui est faux !

– Ça ne fait pas de différence si ça donne du plaisir, protesta Dafna. En revanche…

– Écoutez ma petite, nous en avons assez de vos sornettes, et de vos «en revanche» ! pesta la retraitée.

– Écoutez ma petite, nous en avons assez de vos sornettes, et de vos «en revanche» ! répéta Dafna en imitant à la perfection la voix de la mégère hors d'elle.

Chacun en demeura stupéfait, sauf la dame à chapeau qui continua à s'indigner :

– Mais elle se moque de moi !

– Mais elle se moque de moi ! répéta à nouveau Dafna en souriant.

– Si vous continuez ce petit jeu, ma petite, je vous flanque une fessée !

Des larmes commencèrent à perler sur la figure de Dafna. Quand on la contrariait, elle éclatait toujours en sanglots. Dès qu'on lui refusait le moindre caprice, elle piquait des colères noires ou menaçait parfois d'arrêter de

22

respirer. Dafna ignorait les règles les plus élémentaires de la politesse et les coutumes pas rigolotes qui régissent la vie plate des grandes personnes.

– Cessez, je vous prie, de manger avec vos doigts et surtout de dire merci aux serveurs avec insistance dès qu'ils vous apportent quelque chose…, murmura Lagadec à Dafna. Ça ne se fait pas de s'adresser à eux avec autant d'attention…

– Excuse-moi, soupira-t-elle en fixant un serveur avec désolation, je t'avais pris pour une personne !

– On ne pique pas non plus la nourriture avec la pointe de son couteau…, lui reprocha à nouveau Lagadec.

– Commandant, lança alors Dafna en séchant ses larmes, tu peux me dire quand on ploufe pour changer de rôles ?

– De quels rôles parlez-vous, madame ?

– Les serviteurs…, dit Dafna en montrant du doigt le personnel stylé qui assurait le service.

– On dit serveur, pas serviteur…, lui souffla Lagadec un peu gêné.

– Quand est-ce que nous, les assis, on prend la place des serveurs debout et eux la nôtre ? poursuivit Dafna avec espièglerie.

– Qu'en pensez-vous, mon cher commandant ? questionna Mac Morning amusé.

– Hum…, dit le commandant Flag en toussotant. Cela me semble difficile, voyez-vous. Question d'organisation… Il faut bien que la société tienne debout…

– Comme les serviteurs ? hasarda Dafna.

– Si vous voulez…

– On n'échange jamais les rôles chez les adultes ? reprit Dafna. Si on est serviteur debout, on reste serviteur ?

– Oui, répliqua sèchement Lagadec en adressant un petit signe aux serveurs déconcertés.

– Et si tout l'équipage, juste un soir, prenait la place des passagers ? Et eux la place des serviteurs ? Juste pour rire, suggéra Dafna enthousiaste.

– Non, rétorqua le commandant.

– Quand on a un rôle ici, on le garde pour toute la vie ? demanda-t-elle stupéfaite.

– On essaye de le conserver..., répondit Lagadec en s'efforçant de sourire.

– Donc on ne ploufe pas, conclut-elle.

– Qu'entendez-vous au juste par « ploufer » ? demanda Mac Morning.

– Amstramgram... la ploufe, quoi !

– Ma chère, fit le commandant effaré, on ne ploufe pas dans les pays civilisés.

– Même pour se choisir un mari ?

– Surtout dans ce genre de cas... C'est une question sérieuse.

– Sérieuse ? reprit Dafna horrifiée.

– Oui.

– Remarque, soupira-t-elle, c'est pas désagréable d'être super égoïste comme un civilisé. Moi, je m'éclate bien d'être toujours servie et assise !

Avant l'arrivée à bord de Dafna, la croisière – qui effectuait un tour du monde complet – s'était installée dans un quotidien moelleux pas trépidant du tout. L'irruption inopinée de cette maligne avait brusquement pimenté la

vie à bord et électrisa la fête suivante donnée sur le pont principal.

Au lieu de s'obliger à danser de manière mécanique – à la manière des grandes personnes rouillées qui usent leur gaieté en répétant toujours les mêmes gestes –, Dafna bondit sur les tables dès la première note de jazz, n'hésita pas à danser sur les mains, à se servir des cloches en argent du restaurant chic comme de cymbales. Puis elle ôta les souliers des grand-mères ramollos et les entraîna dans des sarabandes. Ensemble, elles bousculèrent les cuisines, ravagèrent les salons du paquebot et dévastèrent les salles élégantes du casino. Puis, saisie par une joie irrépressible, Dafna transforma tous les objets disponibles en tam-tams. Son corps devint alors un jouet malléable, ses yeux des billes affolées et ses mains des papillons fous.

Dafna trouvait la vie des adultes à bord tout à fait acceptable, pas du tout aussi lugubre que ce qu'Ari lui avait laissé entendre. Bien au contraire ! Dans l'esprit de Dafna, être une grande personne était désormais synonyme de se la couler douce sur un paquebot de luxe. Elle n'imaginait pas que l'existence des majeurs pût être autre chose que ce qu'elle goûtait : une enfilade de repas sucrés, coupés de réjouissances et de haltes dans les plus beaux ports du monde, bref une addition de moments appétissants.

En passant devant Rio de Janeiro, Dafna aperçut à la jumelle le carnaval qui rassemblait des gens aussi toniques que les Coloriés : des danseurs de samba au corps peinturluré, des énergumènes déguisés et bariolés, des pas sérieux qui turbulaient sans jamais se reposer. Lorsque le bateau s'arrêta face aux falaises des gratte-ciel de New York, elle fut toutefois déçue que les constructions américaines ne fussent pas des cabanes accrochées dans les arbres mais des cubes en ciment difficiles à escalader. Cette ville toute raide, verticale à faire peur, manquait de courbes à ses yeux, de toboggans, de montagnes russes en bois de kaori, de grandes roues de bambou. Ne possédant pas de passeport pour certifier qu'elle n'était pas une autre, Dafna ne put hélas pas débarquer. Sinon elle aurait volontiers joué à saute-mouton dans la grosse tête creuse de la statue de la Liberté, le seul édifice bien dessiné à ses yeux.

Mais une chose nouvelle, ahurissante même, fascina Dafna tout au long de cette croisière : c'était l'idée adulte, follement séduisante, qu'il existait bien pour chacun un *grand amour*, une *love story* inusable. Dafna, si gourmande d'infidélité, si portée à chaparder des baisers, n'en revenait pas ! Sur l'île de la Délivrance, les Coloriés ne jouaient à s'aimer que le temps d'une partie, d'une belle ou d'une revanche. Les passions – et surtout les mariages – n'étaient que des jeux excitants qui excédaient rarement deux ou trois jours. Alors que le paquebot était rempli à craquer de vieux couples – des vétérans du mariage qui avaient dormi ensemble des milliers de dodos ! – et de jeunes couillons en voyage de noces, des amoureux qui envisageaient sans rire de se bécoter à longueur d'existence, de ne faire de galipettes avec personne d'autre que leur moitié officielle ! Ce dernier point laissait Dafna pantoise, elle qui raffolait des garçons autant que des milk-shakes à la fraise. Jamais elle n'avait même imaginé se contenter de n'en croquer qu'un seul pour la vie !

– T'es sérieux Mac Morning ou tu me fais une farce ? lança-t-elle un soir à table en se goinfrant de pizzas (le plat qu'elle préférait avec les frites). T'as l'intention de ne faire des siestes qu'avec ta voisine baguée ?

– Je suis son épouse, pas sa voisine ! répliqua pincée la toute nouvelle Mme Mac Morning. Et je ne suis pas un oiseau que l'on bague !

– N'empêche, reprit Dafna, épouse ou voisine, baguée ou pas, moi je pense que Mac Morning, il va faire des siestes avec d'autres ! Déjà qu'il mate mes lolos…

– Arthur ! s'exclama Mme Mac Morning ulcérée en fusillant du regard son mari.

– Madame, répondit Mac Morning avec flegme, vos lolos ne manquent certes pas d'attraits, mais la question n'est pas là. Mon épouse légitime représente à mes yeux… *le grand amour.*

Rassurée, Mme Mac Morning soupira.

– C'est quoi au juste, cette histoire? demanda Dafna.

– L'une des originalités de ce que vous appelez *la civilisation adulte*… Nous autres, les grandes personnes, sommes portés à croire que l'amour authentique ne connaît pas de fin. Il est… éternel, n'est-il pas?

– Vos sentiments de Culotté sont inusables?

– *Well*, en quelque sorte…

– Comment vous les réparez?

– En les cultivant.

– Comme des fruits?

– D'une certaine façon… Nous entretenons nos sentiments, nous les sarclons, les arrosons, les binons… comme vous dites en français, n'est-ce pas ?

– … et ils poussent ?

– Oui, *my dear*, il arrive que l'amour des grandes personnes grandisse avec le temps.

Cette révélation en boucha un coin à Dafna. Pour la première fois, elle devinettait que son voyage chez les grandes personnes lui réservait de merveilleuses surprises. Ari ne lui avait pas dit toute la vérité : le monde des adultes était plein de ressources pour qui voulait bien jouer avec eux. Et puis, un univers qui produisait autant de frites au ketchup et de pizzas ne pouvait pas être foncièrement mauvais.

Après l'escale à New York, on projeta dans la salle de réception du paquebot une aventure de James Bond. Ce film pétaradant, le premier que Dafna découvrait, lui révéla qu'il existait chez les Culottés des individus encore plus distrayants, gonflés et bricoleurs que les Coloriés. Pas une seconde, elle n'imagina que James Bond pouvait être

un personnage de fiction. Persuadée que les histoires qui lui donnaient du plaisir méritaient d'être réelles, elle était convaincue d'avoir assisté à un long reportage sur la vie d'un espion adulte séduisant.

Le soir même, Dafna tenta de se fabriquer un véhicule aussi excitant que celui de Bond. Les mécaniciens de la salle des machines l'aidèrent à bidouiller une trottinette extravagante, pourvue d'armes secrètes : des sarbacanes (fixées en batterie sur le guidon), deux catapultes lance-tarte à la crème (une à droite et une à gauche) ainsi qu'un bidon d'huile d'olive (à renverser pour faire glisser d'éventuels poursuivants). Excitée, la belle Dafna ne voulut plus circuler dans les coursives du navire – en allumant des feux de détresse maritimes – qu'équipée d'un scaphandre d'homme-grenouille, avec un masque et des bouteilles d'oxygène, afin de pouvoir rouler sous l'eau (au fond de la piscine principale du bateau) en cas de besoin, «comme James».

Bien entendu, il fallut à notre apprentie aventurière un adversaire amusant à neutraliser, assez fripouille pour lui plaire, une canaille censée faire peser sur les passagers une menace déloyale. Comme il ne se trouvait à bord aucun candidat pour occuper ce rôle, Dafna décida d'en inventer un. Elle s'amusa à cambrioler quelques cabines de première classe pour y chaparder de gros bijoux (de ces jouets rutilants auxquels les femmes culottées ont l'air de tenir). Cette aventure eut lieu pendant l'heure du dîner. L'événement produisit aussitôt l'effet escompté : on cria au voleur et toutes les grandes personnes se sentirent menacées ! On eut soudain besoin d'une sauveuse futée, d'une imitatrice de James pour remettre la main sur les

cailloux précieux envolés. Personne ne songea que Dafna pouvait être responsable de cette razzia puisqu'elle ignorait la valeur des objets avec lesquels on ne peut pas jouer.

Dafna jamesbondisa dans tous les recoins du navire, se faufila sous les tables, chenapana sans relâche en trouvant parmi les passagers dépouillés de leurs bijoux de merveilleux partenaires de jeu. Elle découvrait que les adultes confrontés à un problème sont aussi faciles à aborder que les enfants. Ce qu'il fallait aux Culottés pour devenir bavards et capables d'entrer en relation facilement, c'était une bonne dose de tracas à régler. Toutes les dames chic qui, la veille encore, l'ignoraient se mirent à lui chuchoter dans l'oreille leur panique, à s'épancher avec fièvre. L'une s'était fait dérober un collier de perles qui lui venait de sa grand-mère, l'autre avait fait croire à la petite société du navire que ses parures de diams étaient des vraies et elle avait la frousse, si on les retrouvait, que tout le monde apprenne qu'elle ne portait que du toc! Et patati et patata. L'inquiétude rendait ces snobinardes sérieuses plus liantes, prêtes à se confier, aussi jacassières que des fillettes dans un arbre à filles.

Instruite par cette première expérience, Dafna eut l'idée de mettre le feu à sa chambre. L'incendie fut hélas trop vite maîtrisé, mais il provoqua à bord une émotion formidable, et instaura une ambiance chaleureuse! Tous les adultes sortirent illico de leur cabine et se mirent enfin à parler avec leur voisin, à échanger des paroles sensibles, à quitter les rôles pas drôles du tout qu'ils jouaient d'ordinaire (d'avocat, d'homme d'affaires gavé de chiffres, etc.). Cette catastrophe évitée leur permit de se rencontrer, alors que d'habitude c'était compliqué pour les grandes personnes de se faire des nouveaux amis. Pauvres adultes, ils ont tant de mal à sortir de leur solitude et à se poiler avec les autres!

– Qu'est-il arrivé? demanda gravement le commandant Flag en pénétrant dans la cabine incendiée.

– J'ai réussi! répondit Dafna très fière.

– Quoi? demanda le marin stupéfait par l'ampleur des dégâts provoqués par le feu.

– À décoincer tout le monde! Regarde, ils sont tous copains.

– Vous avez mis le feu volontairement pour que les gens se parlent? rugit le commandant.

– Oui, volontairement. Je crois que c'est ça le mot, volontairement.

– Vous êtes folle?

– Faut pas me disputer, répondit Dafna certaine d'avoir bien agi. Cette croisière, elle ne pouvait pas mieux finir. Regarde comme ils sont tous contents… On dirait un anniversaire. Dis, on arrive quand chez les mamans ?

– Je vous remets à la police française demain ! cria le commandant. Dès que nous serons au Havre, vous serez poursuivie.

– Poursuivie par qui ? répondit Dafna illuminée par un large sourire.

– Par la justice, la police !

– Ils vont accepter de me courir après ? reprit-elle excitée par la perspective de mettre la main sur des joueurs motivés. La police adultienne, elle veut bien jouer à chat avec moi et Maximus ?

– Ce n'est pas un jeu ! D'ailleurs nous en avons assez que vous preniez tout à la rigolade. Le Christ n'est pas un acrobate qui fait son numéro sur une croix ! Les billets de banque n'ont jamais été conçus pour faire des bombes à eau ! Les clébards fictifs n'existent pas ! La police n'a pas été créée pour organiser des parties de saute-mouton avec vous et, une bonne fois pour toutes, le feu n'est pas une plaisanterie !

– Tu ne veux plus t'amuser avec moi ? demanda Dafna déçue.

– Non.

– Puisque c'est comme ça, continua-t-elle boudeuse, je vais te rendre les bijoux. Moi non plus je veux plus jouailler avec toi !

– Parce que…, s'étrangla le commandant. Le vol des bijoux, c'était vous ?

– Ben oui, il faut tout faire ici pour désérieuser les

adultes ! Si on n'invente pas des faux méchants qui font peur à tout le monde, personne ne zouave.

– Vous serez poursuivie ! explosa à nouveau le marin.

– Ça commence quand la grande poursuite ? demanda Dafna alléchée en montant sur sa trottinette jamesbondisée.

– Je vous dis que vous serez poursuivie pour de vrai !

– Je vous dis que vous serez poursuivie pour de vrai ! répéta Dafna souriante en copiant à la perfection la voix du commandant ivre de rage.

– Arrêtez de vous payer ma tête !

– Arrêtez de vous payer ma tête ! répliqua Dafna enchantée, avant de siffler son chien imaginaire et de déguerpir en trottinant.

3

– Hou hou ! cria Dafna du pont supérieur quand elle aperçut la police. C'est moi qu'il faut poursuivre !

Le commissaire, escorté par Lagadec, leva la tête.

– A-ttra-pe-moi si tu peux ! scanda Dafna excitée avant de détaler sur sa trottinette bricolée.

Aussitôt les hommes en bleu de la police sortirent leurs sifflets et la grande poursuite s'engagea. De la passerelle, Mac Morning suivait les événements en songeant qu'une chenapane aussi enjouée devait à tout prix rejoindre sa chaîne de magasins de jouets. Dans ses bureaux, aucun adulte n'avait la même capacité de zouaver, de turbuler et d'envisager les choses avec les yeux gourmands d'une enfant !

– *Darling*, dit-il à son épouse molle qui croulait sous les bijoux, cette foldingue saurait animer mes magasins. Ceci est mon avis *by Jove*, n'est-il pas ?

– Comme il est vrai que vous êtes en train d'admirer sa plastique, *darling*.

– En effet, *my dear*, mais elle est *charming*, n'est-elle pas ?

Pour échapper à la police adultienne, Dafna utilisa et abusa de toutes les ressources de sa trottinette : elle expédia de nombreuses tartes à l'aide de ses catapultes, cribla les agents de boules puantes grâce à sa batterie de sarbacanes fixées sur le guidon, largua des litres d'huile d'olive pour faire patiner ses poursuivants. Puis, quand elle eut trouvé qu'elle s'était assez divertie, Dafna bondit sur la terre ferme avec l'aisance d'un chimpanzé, en s'agrippant aux cordages qui reliaient le bateau au quai. Elle était absolument ravie qu'il y eût en Europe une police disposée à la poursuivre avec enthousiasme en usant de sifflets. La motivation évidente de ces agents était pour elle une véritable satisfaction.

Sur le parking, Dafna s'engouffra avec sa valise de grande personne dans la grosse voiture de Mac Morning. Son chauffeur l'attendait.

– Mais… qu'est-ce que vous faites ? s'exclama Mme Mac Morning.

– Je viens jouailler avec vous !

– Descendez immédiatement !

– *Darling*, reprit Mac Morning, notre amie nous fait l'honneur de nous accompagner, n'est-il pas ?

– Vite ! cria Dafna. Les policiers à sifflets arrivent !

– En route, George ! cria Mac Morning à son chauffeur.

La voiture démarra en trombe pour échapper aux forces de l'ordre.

– Ils sont quand même gentils de nous poursuivre…, commenta Dafna.

– Où voulez-vous que nous allions ? demanda Mac Morning.

– Chez ma maman.

– Madame votre mère, vous dites… Où habite-t-elle ?

– En France, on m'a cafté. Elle est de France comme moi je suis d'Enfance.

– Bien sûr…, repartit Mac Morning qui ne voulait pas trop contrarier Dafna. Mais nous avons besoin de son nom, n'avons-nous pas ? Comment s'appelle-t-elle ?

– Maman.

– Vous n'auriez pas… une indication plus précise ou quelqu'un d'autre ?

– Quelqu'un d'autre à trouver ?

– Oui, *by Jove.*

– Si, mon grand amour.

– Pardon ?

– Je voudrais trouver mon grand amour à moi. Il paraît que ça existe le grand amour chez les adultes.

– De qui s'agit-il ? interrogea Mac Morning perplexe.

– Je vais te le décrire : il a une frimousse de prince, des yeux qui sourient. Il est tellement beau que même son ombre, elle est belle. Quand il bouge, on dirait qu'il mime le bonheur. Tout le contraire de toi, Mac Morning !

– Son nom, pourriez-vous nous révéler son nom ? reprit l'épouse de Mac Morning qui s'impatientait.

– Je le connais pas. Mais si je le vois, je vais le reconnaître, ça c'est sûr, sinon c'est pas lui mon grand amour, celui avec qui je vais jouer pour la vie.

– Accepteriez-vous de vous amuser avec nous, dans de vastes magasins de jouets climatisés ? demanda Mac Morning intéressé.

– Des magasins avec des jouets neufs ? demanda Dafna l'œil allumé.

– Oui, *indeed.* Il suffirait que vous nous expliquiez

comment présenter les jouets pour que les gamins aient envie de s'en emparer.

– C'est facile, il suffit que tu t'amuses avec. Les enfants, ils s'approchent toujours des plus zouaves qu'eux, de ceux qui s'éclatent en prenant du plaisir.

– Justement… je ne sais pas jouer, avoua Mac Morning avec gêne.

– À ton âge ? reprit Dafna en bâillant.

– Oui, justement, j'ai oublié.

– Ils sont nombreux, les grands qui ne savent plus prendre du bon temps ? ajouta-t-elle en s'étirant.

– Oui, hélas…, soupira Mac Morning. Vous voulez bien venir jouer avec mes jeux tout neufs ?

Dafna ne répondit pas. Elle s'était endormie comme une masse. Forcément, c'était l'heure de sa sieste.

4

En arrivant à Paris, Dafna eut du mal à localiser sa maman. Normal, vu que les villes d'Europe sont infestées de mères insolentes qui se croient tout permis avec leurs enfants. À tous les coins de rue, on en trouve ! La première que Dafna repéra était une grande rouquine qui grondait sa fille de cinq ans (une fillette lucide qui refusait de la suivre).

– Lætitia, arrête de faire l'enfant ! hurlait la maman effrontée.

Dafna s'approcha aussitôt de la dame rouge de colère et lui fit observer :

– Pourquoi tu lui dis ça à Lætitia ? Elle ne peut pas être autre chose qu'une enfant ! C'est comme si toi je te demandais d'arrêter d'être bécasse.

– Mais je ne vous connais pas ! cria la maman sûre d'elle.

– Et alors ? répondit Dafna.

– Et alors mêlez-vous de ce qui vous regarde !

– Ici, on n'a le droit de parler qu'aux Culottés qu'on connaît déjà ? se renseigna Dafna.

– Oui, ça se passe comme ça, répondit Mac Morning qui venait de s'approcher pour calmer le jeu.

– Lætitia, poursuivait la mère irritée en se penchant vers sa fillette butée, avec tout ce que je fais pour toi, tu devrais être contente.

– Mais non, reprit Dafna en s'adressant à la dame, tu te trompes. C'est pas possible de dire à une petite personne ce qu'elle doit sentir. On peut l'obliger à dire merci mais on ne peut pas la forcer à être contente !

– Oh vous, la ferme ! riposta la rouquine. Et puis cessez de me tutoyer !

– Et toi arrête d'embêter Lætitia en profitant qu'elle est moins forte que toi ! Tu te prends pour qui ?

– Pour sa mère !

– Et alors ? Ça donne des droits ?

Mac Morning intervint pour éviter que l'altercation ne dégénère en bagarre. Médusée, Dafna apprit alors qu'en Europe les mamans ont des pouvoirs ahurissants sur leurs filles et sur leurs fils ! Elles ont le droit de leur imposer de se taire à table, d'enfiler tel ou tel vêtement ridicule ou qui gratte, la possibilité de les priver de dessert ! Avec la complicité des papas, les mères ont même le droit de décider à la place de leurs petits ce qui est bon pour eux ! Mac Morning lui expliqua sans rougir que la plupart des grandes personnes trouvaient cette situation tout à fait normale.

– C'est vraiment vrai ou tu racontes ça juste pour me faire peur ? demanda Dafna qui soupçonnait Mac Morning de fariboler.

– Non, c'est vrai.

– Ah…, fit-elle horrifiée. Mais… les enfants ne sont pas des personnes comme les autres, ici ?

– Non, ce sont des mineurs.

– Ça veut dire quoi ?

– Mineur signifie moins important. Chez nous, ce que les minots pensent ne compte pas vraiment.

– Et les grands, ils sont quoi ?

– On dit que ce sont des *majeurs,* plus importants donc.

– Ah… Et pour voter, ça se passe comment ?

– Les gamins ne votent pas, bien entendu.

– Tu m'as pourtant dit que *le suffrage universel,* ça veut dire que tout le monde vote !

– Tout le monde, sauf les mineurs *of course.*

– Et les enfants se révoltent souvent ?

– Non.

– Et pourquoi ils acceptent ce scandale ?

– Dafna, d'où venez-vous ?

– C'est mon secret… et même si tu donnes ta langue au chat, je te cafte rien.

Dafna fut remuée par cette conversation inquiétante. Mais ses émotions ne duraient pas. Le jour même de son arrivée, elle découvrit avec enthousiasme l'impressionnant magasin *Cheyenne* de la place Clichy. Aucun Colorié n'aurait pu imaginer une telle accumulation de jouets. Les boîtes attirantes se trouvaient empilées sur cinq étages ! Mac Morning autorisa Dafna à profiter de tout ce que contenait cet établissement multicolore. Elle put même faire des blagues aux clients timides et imiter les dames râleuses, bref zouaver autant qu'elle en avait envie avec la clientèle sérieuse. Malin, Mac Morning avait compris que les enfants inciteraient leurs parents à acheter plus de jouets s'ils voyaient une grande chipie s'en servir, patiner

dans les rayons ou se déguiser avec frénésie en empruntant les panoplies mises en vente. Dans cet endroit, la conduite zigzagante et les remarques surprenantes de Dafna passaient pour du professionnalisme !

Pas une seconde, elle ne devina que Mac Morning l'utilisait pour gagner toujours plus de sous. Dafna ne vit dans son premier *travail* qu'une opportunité de sarabander avec un matériel formidable : des fusils à eau qui tiraient plus loin que les zizis des zèbres lorsqu'ils font

pipi, des échasses montées sur ressorts qui permettaient de cavaler à la hauteur des girafes tout en bondissant à la manière d'un kangourou, des boîtes de chimie qui vous transformaient en un rien de temps en fabricant de bombinettes, des bouteilles d'hélium, un gaz plein d'humour qui fait voler les ballons et donne une drôle de voix de canard quand on le respire, etc.

Plutôt que de chercher un domicile normal pour mener une vie de grande personne, Dafna s'était installée

clandestinement dans le zoo de Vincennes, derrière les barreaux de la cage des gibbons. C'est là qu'elle passait ses nuits. L'énorme rocher factice qui signale le zoo de loin avait immédiatement attiré son attention. Cette masse verticale de béton émerge des arbres du bois de Vincennes, alors on la remarque ; mais elle ressemblait surtout à un rocher géant de son île du bout du monde. Sans hésiter, Dafna avait franchi le mur d'enceinte pour s'aventurer dans cette mini-jungle artificielle. Le décor tropical réservé aux gibbons lui rappelait la végétation de la Délivrance. La conduite virevoltante des singes lui donna même le sentiment d'être de retour parmi les Coloriés et leurs chimpanzés fêtards. Chaque soir, Dafna rejoignait donc en douce les primates prisonniers des adultes, qui l'avaient accueillie auusitôt comme l'une des leurs. Dafna leur rapportait des pizzas, des ballons gonflables, leur refilait des gaufres gratos. Avec eux, protégée du monde des grandes personnes, elle retrouvait le bonheur de posséder un corps souple et bondissant. Entre deux pizzas au caramel (ses préférées), Dafna exécutait un looping, quelques saltos arrière, parce que ça la démangeait sacrément de se dépenser. Toute la journée, obligée de fréquenter des adultes raides et immobiles, elle se retenait de gigoter comme une folle, freinait sa spontanéité pour ne pas se faire trop remarquer ! Avec les gibbons, Dafna avait enfin le droit de suivre ses élans, de s'en donner à cœur joie.

Et puis, frayer avec les singes la reposait, parce qu'ils sont sincères, les primates, alors que les Culottés, eux, jouent tout le temps la comédie adulte. Ils font semblant d'être contents quand ils ont envie de pleurer ou simulent des bons sentiments plutôt que d'avouer que ça les excite parfois d'être cruels et égoïstes. Toutes ces menteries la fatiguaient, elle qui était honnête. Dans la grande cage, Dafna se sentait en liberté. Elle avait le loisir d'être pour de vrai qui elle était, comme sur la Délivrance.

Mais un soir, elle vit une chose incroyable : lorsque le dernier adulte quitta le parc, le directeur du zoo, M. Fontaine, se déshabilla, enfila un slip en peau de zèbre et vint vadrouiller seul dans son établissement en se prenant pour *Tarzoony le seigneur du zoo de Vincennes* ! Ce monsieur, habituellement très digne en costume cravate, jouait à Tarzan en douce !

Tandis qu'il poussait le cri caractéristique de son personnage au milieu des gibbons, Dafna s'avança vers lui déguisée en fille toute nue et lui demanda avec beaucoup de simplicité :

– Je peux jouer avec toi ?

Tarzoony sursauta, blêmit et resta pétrifié, ne sachant trop quoi répondre. Alors, le sentant humilié d'être surpris dans un accoutrement pareil, Dafna jugea malin d'entrer dans son jeu pour le désinquiéter. Finaude, elle ajouta :

– Moi Jane, et toi ?

– Moi Tarzoony, bredouilla-t-il rouge de honte.

Ils firent connaissance et devinrent vite amis. M. Fontaine finit par lui confier qu'il avait acheté le zoo de Vincennes afin d'y mener la nuit une double vie. Ne se sentant pas jugé par la belle Dafna, il lui avoua la gorge serrée que les relations courantes avec les humains le décevaient. Le brave Fontaine avait besoin d'un contact fraternel et direct qu'il ne trouvait, depuis son enfance, qu'avec les animaux. C'est ainsi qu'il s'était retrouvé dans la peau de

Tarzoony le seigneur du zoo de Vincennes, malgré son estomac bedonnant et son crâne un peu dégarni.

– Tu sais, lui dit Dafna, ça me rassure qu'il y ait des adultes comme toi, capables de réaliser leurs rêves.

– Vous ne direz à personne que je porte un slip en peau de zèbre…

– Non, répondit-elle avec tendresse, on a tous les deux un secret.

D'autres rencontres attendaient Dafna en territoire adulte.

5

C'est au magasin *Cheyenne* que Dafna fit la connaissance de Lulu, une délurée de sept ans, et de sa copine
Charlotte qui participaient à un atelier du samedi. Toutes
les trois étaient déguisées en fées un peu marioles. Elles
s'amitièrent sans peine vu qu'elles étaient aussi rigolotes
les unes que les autres. Mais il arriva un incident lors d'un
après-midi, à l'heure des mamans, au moment où ces
commandeuses venaient récupérer leurs bambins inscrits
dans les ateliers. Dafna était en train de turbuler jusqu'à
l'essoufflement avec une bande de garnements. Très
occupée, elle répondit aux mères impatientes qui la
priaient d'arrêter de jouer :

– Vous comprenez, on a commencé une partie sans
fin, alors on ne peut pas la terminer. Et pis là, pour de
vrai, vous nous embêtez.

– Je vous embête ? reprit une maman estomaquée.

– Énormément.

– Mais… ce n'est pas possible, bredouilla une autre
maman. L'heure, c'est l'heure !

55

– On ne peut pas arrêter une partie sans fin, sinon elle aurait une fin, expliqua Dafna. Du coup, ce ne serait plus une partie sans fin ! En plus, c'est pas gentil de casser les pieds des petits.

– Écoutez, cette plaisanterie a assez duré ! Allez me chercher ma fille.

Dafna n'aimait pas les mamans arrogantes, les insolentes qui se croient tout permis. Elle avait donc viré les mères énervées ! Le directeur (un sérieux tout gris qui obéissait à Mac Morning) lui avait ordonné de se calmer, de revenir à plus de politesse, en vain. Très contrariée, Dafna s'était alors brusquement mise en pétard. Hors d'elle, notre héroïne avait soulevé une révolte générale des gamins, une insurrection historique dans la boutique.

Bondissante, Dafna avait déchiré les boîtes des jouets pour s'emparer de fusils *paint balls*, d'arbalètes à air comprimé et de tout un lot d'armes hydrauliques. Les galopins des autres ateliers s'étaient rués sur l'arsenal fluo et lui avaient emboîté le pas avec furie ; puis, revêtus de déguisements de *La Guerre des Étoiles*, les insoumis s'étaient retranchés à l'étage des peluches. Armés d'extincteurs, de pétards et d'arcs en caoutchouc, ils avaient gaiement bousillé le magasin. La mousse carbonique et les litres de peinture projetée avaient bientôt recouvert le sol et les murs ; mais le désastre ne fut total que lorsque Dafna employa les lances à incendie pour faire reculer le service de sécurité (tous des crâneurs). L'établissement fut alors scrupuleusement ravagé. Par chance, la police était venue à la rescousse pour mater cette mini-révolte. Dafna estimait beaucoup les policiers qu'elle tenait pour des partenaires de jeu super motivés, des poursuiveurs de qualité. La seule vue de leurs uniformes lui arracha un cri de joie !

Craignant de blesser les mioches en rébellion dans le maquis des jouets et incapable de raisonner Dafna, le commissaire de police avait hélas fait appel à des infirmiers psychiatriques. Ces hommes en blouse blanche, eux, étaient beaucoup moins marrants. Ils voulaient parler au lieu de poursuivre avec furie la partie engagée.

Déçue par ces parlottes, Dafna décida de filer. Juste avant l'assaut final, Charlotte et sa copine eurent l'astuce, pour lui permettre de s'échapper du magasin marécageux, de la dissimuler dans le ventre d'un énorme cheval en peluche à roulettes. Leur manuel d'histoire illustré était formel : rien de tel qu'un canasson creux pour déjouer un siège !

Dans la rue, la petite Lulu déclara :

– Faut qu'on te ramène chez mon papa, il est ethno-logue.

– C'est quoi un ethnologue ?

– C'est un curieux. Ceux qui jouent à l'ethnologue, ils passent leurs journées à étudier les bizarreries des autres peuples. Pour te protéger Dafna, il faut qu'on te planque vite. Si tu circules dans la rue avec ta bobine d'adulte et tes gaffes d'enfant, les grandes personnes vont te remarquer…

– … et te dénoncer à la police des adultes qu'est désormais à tes trousses ! ajouta Charlotte.

– En plus, mon père, il n'est pas là.

– Sûr qu'on t'arrêtera, poursuivit Charlotte. Et on t'enverra en prison. On te punira d'être toi, de ta gaieté ! Il faut vraiment que tous les enfants t'aident et te cachent.

– J'ai un endroit, leur répondit alors Dafna, c'est le zoo de Vincennes.

– Tu ne vas pas dormir dans une cage ! lança Lulu.

– Là-bas, derrière les barreaux, je suis en sécurité.

– Tu seras mieux installée à la maison, et pis c'est moi qui décide ! coupa Lulu. Mais dis, t'es pas une vraie enfant, hein ? Tu viens d'où ?

– Je vais vous dire mon secret, mais c'est un secret qu'il ne faut rapporter à aucune grande personne… Seuls les non-adultes ont le droit de savoir.

Dafna leur raconta la vraie histoire des Coloriés. Avec ces filles qui étaient presque du même âge qu'elle, elle se sentait en confiance. Elle leur révéla comment une petite centaine de polissons isolés sur une île du bout du monde avaient liquidé le dernier adulte. Et comme ensuite, ils avaient décidé de ne jamais devenir des grandes personnes. Il existait donc sur une île du Pacifique une nation d'enfants libres, toujours en vacances !

– Mais…, bredouilla Lulu, avec le temps les Coloriés ont bien dû grandir comme tout le monde !

Dafna lui expliqua que, chez les Coloriés, chacun mûrissait biologiquement sans finir dans la peau usée d'une grande personne. Les adultes, au sens agaçant du terme, avaient vraiment disparu. Là-bas, on s'éduquait soi-même en se récréant. Sur cette île, l'enfance avait cessé d'être un âge pour devenir une identité nationale : on était gamin avec fierté comme ailleurs sur le globe on est anglais, gaulois d'*Astérix* ou turc.

– Ça alors…, conclut Charlotte sidérée. Un pays sans adultes !

– Ça doit rester un secret, répéta Dafna. Sinon, les Culottés vont nous envahir pour venir nous éduquer de force.

– Et tes parents, ils sont passés où ?

– Je les cherche, répondit Dafna. Ici, ça grouille de papas et de mamans, mais je vais bien finir par les trouver.

– Mais comment t'as fait pour vivre sans parents ? demanda Lulu perplexe.

– On s'est organisées entre filles, en grimpant dans des arbres à filles. On a bricolé des cabanes en hauteur pour échapper aux garçons batailleurs. Et on avait un chef, Ari, qui a interdit tous les trucs d'adultes : les leçons, être raisonnable, l'école…

– L'école ? reprit Lulu intéressée.

– Oui, on l'a brûlée.

– On vous a laissés faire ?

– D'abord on a attrapé le seul adulte qui était resté sur l'île, un coyote, et pis on l'a tué.

– Vous l'avez tué pour de vrai ?

– Il l'avait bien mérité, ce Culotté !

– Ah…, fit Lulu, et qui lave vos vêtements ?

– On se colorie des faux vêtements sur le corps. Pour les laver, il suffit de plonger dans la rivière !

– Et qui fait la vaisselle?

– On mange dans les arbres, comme ça on jette en l'air ce qui est sale. Ou alors on dîne sur la plage à marée basse et on laisse tout. C'est la marée montante qui débarrasse!

– Qui vous prépare à manger?

– On a des singes qui nous cueillent des fruits et des oiseaux qui pêchent pour nous.

– Ils n'avalent pas les poissons?

– Non. On leur met une ficelle autour du cou pour les empêcher de les avaler tout rond.

– Mais alors vous ne partez jamais en vacances si vous êtes déjà en vacances tous les jours? interrogea Charlotte suspicieuse.

– On a bidouillé des machines à partir en vacances.

– C'est comment une machine à partir en vacances? postillonna Lulu ébahie.

– C'est une machine énorme qui fait bouger des livres écrits en rébus.

– En rébus? s'étonna Charlotte.

– Oui, ça évite les fautes d'orthographe. Les chimpanzés tournent les pages et, les yeux grands ouverts, tu pars dans les histoires.

– Loin?

– Si les histoires vont loin… Et si les chimpanzés sont d'accord pour faire les bruitages des histoires qu'on lit : le souffle du vent, les épées qui se cognent, les explosions en fracassant des noix de coco, pour y croire.

Lulu et Charlotte n'en revenaient pas : les Coloriés étaient bien la preuve vivante que les parents étaient superflus dans une société. Il était donc possible d'oser tous ses désirs, de colorier son existence d'émotions vives, de rafler toutes les libertés !

– Mais vous, comment vous avez fait pour supporter des parents ? demanda Dafna intriguée. Ce n'est pas trop dur d'avoir tout le temps sur le dos une maman qui s'inquiète de tout ? Un papa qui décide à votre place ce qui est bon pour vous ? Des grands qui se croient indispensables, qui vous ordonnent ce que vous devez sentir et croire ? Et qui en plus veulent être aimés !

– Moi, dit Lulu, mon père je l'ai bien élevé : si je me débrouille bien, il est obéissant, il dit oui à tout dès que je prends un air tristounet et en plus il sait jouer ! Chez lui, on pourra te cacher.

– Vous croyez qu'on va la retrouver, ma maman ? demanda Dafna soudain inquiète.

6

Dafna oublia Tarzoony et le zoo de Vincennes (finale-ment pas très confortable). Elle s'installa en douce à Montmartre dans la maison d'Hippolyte Le Play, le papa de Lulu, qui était parti pour la Corse avec une amoureuse jamais contente. Lulu détenait les clefs de la maison. Elle avait préféré passer le week-end chez sa copine Charlotte, la fille des voisins d'Hippolyte, plutôt qu'avec cette belle-mère aussi douce qu'un cactus.

Maligne, Lulu aménagea une cachette au fond du placard de sa chambre, une penderie assez grande pour abriter le corps d'une fillette de trente-deux ans. Il ne fallait en aucun cas que les grandes personnes la décou-vrent ! Dafna mit aussitôt un désordre joyeux dans la penderie, en laissant une petite place libre pour son chien imaginaire. Puis elle bricola des dispositifs astucieux avec des longues pailles (pour boire du fond de son placard sans se déplacer), une machine à lire qui tournait les pages toute seule (animée par la roue du hamster de Lulu), un kit de bruitage qui permettait de faire la bande-son d'histoires pleines d'aventures et une machine en bois destinée à applaudir les bonnes blagues.

Ensuite, Dafna déclara qu'elle allait construire une cabane de fille dans l'arbre du jardin, car elle était une fille et que, chez les Coloriés, les *girls* aiment se percher dans les arbres à filles. Elle se voyait bien déguster des pizzas sur les branches de ce chêne avec ses copines et une vue sur la capitale des Culottés français.

– OK, répondit Lulu. Mais dès que papa rentrera, faudra que tu files dans le placard. Parce que, même lui, je ne sais pas comment il va réagir en face de toi. Même s'il est ethnologue… ou anthropologue, j'sais plus trop.

– En trop quoi? reprit Dafna.

– Anthropologue. Je t'ai déjà expliqué : ça veut dire qu'il s'occupe des bizarreries que les peuplades bizarroïdes ont dans la tête. Alors des gens spéciaux, il en a vu des ribambelles! Des Indiens à poil, des gauchers fiers de l'être, des zigotos qu'ont les dents longues et la grosse tête, des… Mais des vieux enfants dans ton genre, ça je suis sûre qu'il n'en a jamais rencontré!

À l'abri du regard des grandes personnes de Paris, Dafna ôta ses déguisements d'adulte et commença par se peindre de faux vêtements sur le corps, histoire de reprendre ses bonnes habitudes de Coloriée. Les vrais habits qu'il faut tout le temps laver, ça finissait par l'énerver. Comme elle avait l'esprit pratique, Dafna tendit un fil entre l'arbre à cabane et le deuxième étage de la maison de Lulu. Pour y aller, elle funambulait sur ce raccourci, sans crainte parce que ses envies étaient beaucoup plus fortes que ses peurs.

C'est justement sur ce fil qu'elle gambadait lorsque le

papa de Lulu, Hippolyte Le Play, la vit pour la première fois. Dans le soleil couchant, elle circulait en plein ciel, à dix mètres du sol ! Hippolyte avait finalement renoncé à partir. Son amoureuse plaintive lui cassait trop les pieds. Ses yeux s'écarquillèrent lorsqu'il s'aperçut que les vêtements de cette funambule n'étaient qu'une illusion ! Ce soir-là, Dafna s'était dessiné sur la peau un chemisier de dentelle et un pantalon léger en trompe l'œil. Hippolyte resta saisi devant ce tableau vivant qui rejoignait sa fille en équilibre sur une branche du chêne. Que faisait Lulu avec cette acrobate inconnue alors qu'elle était censée séjourner chez Charlotte ? Aussitôt, telles deux copines du même âge, Dafna et Lulu se concentrèrent sur la construction de leur cabane perchée, dont le plancher était déjà costaud. Elles s'activaient pour réaliser une vraie cabane de fille, histoire d'attendre le jour où un garçon amoureux passerait en dessous.

Écrasée par la chaleur de l'été qui approchait, Lulu ôta son tee-shirt. Dafna commença alors à lui peindre sur le dos un pull rayé, à la zébrer de couleurs vives. Inquiet qu'elle se permît de toucher sa fille, Hippolyte intervint aussitôt :

– Lulu ! Qu'est-ce que tu fais là ? Viens ici tout de suite !

Éberluée, Dafna se tourna vers Lulu.

– Qui c'est, ce Culotté ?

– Mon papa.

– Viens ici, immédiatement ! hurla le père qui avait l'habitude d'être obéi.

– Il te gronde souvent comme ça ? reprit Dafna choquée.

– Oui...

– C'est pas juste d'aboyer après ceux qu'on dit qu'on aime.

– Oui…, fit Lulu, c'est pas juste.

– Il se prend pour qui ?

– Pour mon père…, bredouilla Lulu en rougissant.

Dafna se redressa, cambra ses seins nus en respirant un bon coup et fit les gros yeux au pauvre adulte.

– Ça va pas la caboche ? De nous agacer en plein jeu parce que tu t'embêtes ! Si t'es pas cap de te récréationner tout seul, t'as qu'à fermer ta boîte à camembert !

– Qu'est-ce que vous fichez avec *ma* fille, dans *mon* jardin ? demanda Hippolyte Le Play, furieux qu'elle se moque de lui.

– D'abord, c'est pas *ta* fille, c'est Lulu, répliqua Dafna vertement. Elle est pas à toi. Ça suffit de croire que les enfants appartiennent aux parents ! Et c'est pas *ton* jardin puisque tu zouaves jamais dedans. Et si tu vois pas ce qu'on bricole, c'est que t'as des idées à la place des mirettes ! On se cachette, on se fait tranquillos une cabane pour jouer aux filles.

– Chez moi ?

– Un arbre, c'est à personne, dit Dafna. Et pis toi, tu sais pas turbuler dans les branches ! Lulu me l'a dit. Alors y en a marre que tu gueulardes ! Et même s'il est à toi, cet arbre, je te le vole parce que ça me fait plaisir, lança-t-elle en trépignant.

– Mais… que fichez-vous ici toute nue avec Lulu ?

– J'suis pas toute nue ! J'ai mis des vêtements peinturés d'astucienne. Et maintenant va-t'en ! Tes questions, elles sont pointues. Et depuis que t'es arrivé, tu scarlatines tout !

Tout en parlant, Dafna n'avait pas cessé de se suspendre aux branches, de gigoter à la manière d'une copine de Lulu. Agacé et perdant son sang-froid, Hippolyte descendit dans le jardin, s'approcha du grand chêne et ordonna en devenant tout rouge :

– Bon allez, ça suffit cette plaisanterie, Lulu tu descends, et tu m'expliques pourquoi tu n'es pas chez Charlotte ! Et qu'est-ce que ça veut dire ce désordre dans ta chambre ?

– J'ai caché Dafna.

– Depuis combien de temps ?

– Quelques jours…

– Quelques jours !

Dafna se pencha, dévisagea Hippolyte et lança :

– T'as envie de quoi au juste ?

– Que Lulu descende de cet arbre pour filer au lit ! Il est presque dix heures. Les parents de Charlotte doivent s'inquiéter.

– Et alors ? Elle a pas *envie*… hein Lulu, c'est malsain de roupiller ou de goûter quand on veut pas ?

– Oui, fit Lulu en reniflant.

– Tu vois, elle en veut pas de ton idée qu'est même pas drôle, conclut Dafna en remontant l'échelle de corde. Elle va pas s'imaginer qu'elle a super envie de faire dodo, juste pour te plaire. C'est idiot à la fin !

– Écoutez-moi bien maintenant, vous remettez cette échelle. Et toi, Lulu, tu descends illico ou ça va barder ! Il est dix heures ! Et je n'accepte pas que tu caches ici des gens sans me prévenir !

Dafna soupira :

– Dommage qu'il soit culotté, parce qu'il est vraiment beau.

– Beau…, répéta Hippolyte bêtement.

– À gober tout cru, précisa Dafna en opinant de la tête. Ça t'embête que je te dise mes envies sans les tricher ? Tu préfères des menteries ?

– Heu… non.

Tandis qu'une lueur de désir étoilait les yeux de Dafna, elle lança avec emballement à Hippolyte :

– Tu me fais saliver. Si tu étais plus toi, je ferais tout pour t'attachatouiller à moi… Tu voudrais bien qu'on joue à se monopoliser le cœur ? À s'époustoufler ? À se faire des guili-guili ? Romanesque-moi !

– Pardon ?

– Oui, séduis-moi comme dans les histoires !

Surprise de voir Hippolyte si perturbé, Dafna continua avec douceur :

– Pas longtemps, juste une soirée. On se confiture des mots d'amour, sans se bécoter. M'embrasse surtout pas, ce serait de la triche. Dis, tu veux bien m'emballer ?

– À quoi vous jouez au juste, mademoiselle ? reprit le père de Lulu. D'abord vous êtes odieuse, ensuite…

– T'as qu'à mimer l'amour. Tu restes là, sous l'arbre, et tu me tartines des compliments pour me faire descendre de l'arbre.

– Et vous ne voulez… rien de plus ?

– En fait si…, répondit-elle en rougissant. Je voudrais que tu sois mon grand amour à moi, que tu me balivernes une histoire d'amour qui dure toute une vie.

– Écoutez… désolé mais je ne suis pas disponible, répondit Hippolyte, terriblement gêné par la présence de sa fille.

De grosses larmes roulèrent soudain sous les paupières de Dafna. Blessée par le refus d'Hippolyte, elle se mit à pleurer puis à crier. C'était la première fois – en dehors d'un événement grave – qu'Hippolyte voyait une grande personne éprouver un chagrin fou, semblable à ceux qui dévastaient Lulu et son fils Jonathan. Il resta alors subjugué par cette adulenfant hors du commun. Cette fille hyper sensible le bouleversa.

Hippo eut le coup de foudre le soir même. Dafna aussi, mais elle hésita à descendre de l'arbre pour l'embrasser car Hippolyte était quand même un Culotté, un garçon qui aimait sans fantaisie. Il avait l'air d'ignorer que l'amour véritable doit être un jeu, une aventure faite de surprises et de farces. Alors, forcément, Dafna se méfiait d'un galant pareil, si peu colorié. Elle préféra continuer à dormir dans l'arbre du jardin, le temps de retrouver sa maman parmi toutes celles qui grouillaient dans Paris.

Le lendemain, Hippolyte (qui ne pouvait pas s'empêcher de regarder Dafna avec des yeux brillants) promit de la cacher chez lui, de l'aider dans ses démarches et de l'accompagner à la préfecture pour se renseigner. La préfecture, c'est là où l'on sait tout sur tout le monde, là où les policiers les plus cafteurs viennent rapporter ce qu'ils apprennent sur les Culottés et les enfants de Paris.

– C'est des pies, les policiers? demanda Dafna.

– Que des rapporteurs…, confirma Lulu.

– Ah…

Pour que Dafna ne se fasse pas repérer illico par les flics (qui la traquaient depuis le grand chahut dans le magasin de jouets de la place Clichy), Lulu eut une super bonne idée :

– T'as qu'à te déguiser en *femme de mon père.*

– Mais… faut dire quoi et faire quoi quand on est la femme d'un adulte? interrogea Dafna qui ne connaissait rien à la vie conjugale. Ils ressemblent à quoi au juste les déguisements d'épouse?

– Dafna…, murmura Hippolyte éberlué. Vous venez d'où?

– On peut lui dire? demanda Lulu en haussant les épaules. Il est ethnologue mon papa…

– Non, trancha Dafna. Y a que les enfants qui peuvent connaître le secret des Coloriés. Les adultes, ils ne croient pas aux histoires.

– *Le secret des Coloriés…* vous dites, nota Hippo. Qu'est-ce que c'est ? Je suis prêt à vous… à te, à vous faire confiance, mais il faut m'avouer la vérité.

– Si t'es cap de me faire descendre de l'arbre je te le dirai, répondit Dafna. Mais avant, faut que tu me dises à quoi ça ressemble une vraie épouse.

Hippolyte se risqua à lui peindre la vie des femmes mariées en pays adulte et les déguisements qui font partie de ce jeu. Attentive, Dafna se goinfrait de gâteau au chocolat qu'elle enfournait dans sa bouche avec ses doigts. Hippo eut de la peine à continuer à vouvoyer cette gamine assise sur la table de sa cuisine.

– Tout d'abord, expliqua-t-il, il faut s'habiller avec de vrais vêtements en tissu, ensuite tu ne dois plus te curer le nez, c'est très important. Tu devras également te servir de couverts au lieu de tes doigts, ne plus grimper aux arbres. Dans la rue il faudra vraiment faire un effort : arrête de gigoter tout le temps…

– Dis…, fit-elle inquiète. C'est drôle ou pas d'être une épouse ?

– Drôle ?

– Oui. Sinon, je préfère ploufer et que ça tombe sur une autre.

– Ploufer ? fit Hippo surpris.

– Amstramgram…, répondit-elle en joignant le geste à la parole.

– Écoute Dafna, nous ne sommes pas en train de faire mumuse, notre intention est clairement de t'aider. Tu piges ?

– Notre intention est clairement de t'aider, tu piges ? répéta-t-elle en imitant à la perfection le timbre de la voix d'Hippo.

Il resta muet, décontenancé.

– Qu'est-ce que tu viens de dire ? reprit-il à voix basse.

– Qu'est-ce que tu viens de dire ? chuchota-t-elle avant d'éclater de rire.

– Tu sais imiter les gens ? demanda Lulu estomaquée.

– Tu sais imiter les gens ? répéta Dafna en reproduisant à l'identique les gestes et les intonations de Lulu.

– Les flics te cherchent, répéta Hippo à Dafna. Il faut te faire oublier.

– Les flics, c'est des gentils, des méchants ou les deux à la fois le même jour ?

– C'est des… des policiers. Tu dois à tout prix changer d'apparence et de conduite.

– Mettre des costumes d'épouse ?

– Ou d'autre chose, mais ça ne suffira pas…

Hippolyte exposa à Dafna quelques notions de base, afin de l'aider à mieux comprendre l'univers adultien qu'ils allaient fréquenter pour pister sa mère. En premier lieu, il lui fit sentir toute la différence qui existe chez les grands entre les moments de travail et de loisir, de sérieux et de non-sérieux. Dafna devrait donc renoncer à s'amuser en public. Elle ne pourrait plus s'adonner à une gaieté hilare, à la moquerie, à la mystification, tout comme aux pleurs, et devrait accepter l'idée que le travail adulte n'est pas un sujet de plaisanterie mais bien la chose la plus importante pour les grandes personnes.

– Le grand truc pour leur ressembler, poursuivit Hippo,

73

c'est de n'avoir le temps de rien… Dès qu'on te propose quelque chose, tu ouvres un carnet de rendez-vous – je vais t'en acheter un, c'est un accessoire indispensable – et tu soupires en disant que ça va être très difficile de trouver un moment, que tu es débordée.

– Débordée…, répéta Dafna. Mais pour avoir l'air de ta-femme-qui-porte-ton-nom, il faut faire quoi ?

– Enlève les doigts de ton nez…, dit Hippo doucement. C'est simple, il suffit de ne pas trop t'amuser. Dans le doute, plains-toi, ça fait femme mariée.

– Me plaindre… c'est un jeu ?

– Oui, le jeu s'appelle *le mariage*. Ça consiste à vivre toujours la même chose à deux et à le reprocher à l'autre.

– C'est tarte… Chez nous, *le jeu du mariage*, c'est une de nos parties préférées ! Ta version, elle me cafarde… Alors on dirait qu'on serait chez moi, que tu serais un mari poilant et que tu m'écouterais, OK ?

– Non, pas OK du tout ! Sinon, à la préfecture, ils ne vont pas nous prendre au sérieux. Et c'est là-bas qu'on doit lancer un avis de recherche de tes parents. Alors on va jouer au mariage version très classique, OK ? Et arrête de dire « zouaver, ploufer ou poilant » !

– OK, fit-elle. On dirait que je serais ta femme qui se plaint.

– Et moi votre fille ! s'exclama Lulu, enchantée.

– Ils sont où les déguisements de gémisseuse ? soupira Dafna.

– D'abord, il te faut une alliance…, répondit Hippo.

Il attrapa un vieil élastique et, sans quitter Dafna du regard, le fit glisser sur son annulaire (le doigt préféré des filles).

– Merci de me baguer…, murmura Dafna en rougissant.

C'était la première fois depuis ses huit ans qu'Hippolyte jouait pour de vrai. Grisé, il cessa aussitôt d'expliquer à Dafna ce qu'est une fille mariée pour s'adresser à elle comme si elle avait été sa femme :

– Ma chérie, habille-toi vite, on va être en retard à la préfecture…

Dafna fut alors troublée par Hippo. Pas au point de dégringoler de son arbre le soir même, mais tout de même… Dès qu'il devenait moins sérieux, la séduction d'Hippolyte éclatait. Pourquoi les messieurs en gris et les épouses jamais contentes ne le savent-ils pas ?

7

En chemin vers la préfecture, Dafna confia à Hippolyte sa déception que les actes des tout-petits aient chez les adultes moins de valeur que les faits et gestes des grands. Elle n'avait repéré dans Paris aucune place qui eût pour centre une statue d'enfant alors que, chez elle, de nombreuses sculptures de bébés honoraient l'humanité enfantine. Son pays glorifiait tout un lot de garnements et de chipies, estimés pour la drôlerie de leurs jeux ou la qualité de leurs canulars.

– Même que sur la place principale de notre petite capitale y a une statue d'Ari, notre chef, à l'âge de dix ans, raconta Dafna. Il brandit vers le ciel un jouet, comme votre Louis XIV tient une épée sur une place de Paris. À l'intérieur de notre église, Jésus aussi a la figure d'un marmot, et les saints qui zouavent sur les fresques ont tous des bouilles de minots. Normal vu que, sur la Délivrance, Dieu ne peut être qu'un sacré garnement.

– Où se trouve la Délivrance? demanda Hippo ahuri.

– C'est le pays de l'Enfance, une île.

– Un vrai pays ?

– Délivré des adultes.

– Il n'y a plus aucun adulte ?

– Ari a tué le dernier, y a longtemps. Il s'appelait Claque-Mâchoire. Depuis, les grandes personnes sont interdites. On a tous déchiré nos vêtements et on s'est colorié le corps.

– Où se trouve l'île de la Délivrance ?

– C'est le secret des Coloriés.

– C'est une vraie histoire ou une histoire vraie ?

– C'est quoi la différence ?

– C'est bien ce que je pensais… Dafna, ne répète à personne ce que tu viens de m'avouer, on te prendra pour une foldingue, déclara alors Hippolyte qui se demandait si Dafna lui racontait des bobards ou si elle était effectivement originaire d'un pays aussi bizarre !

À la préfecture, Dafna voulut bien ne pas trop gigoter, marcher calmement dans les couloirs et ne pas tournicoter autour des poteaux. Toutes choses qui lui parurent relever de la conduite d'une paralytique ! Pour la convaincre, Hippo dut lui présenter cette façon de se déplacer comme un exercice de mime qui, s'il était réussi, lui vaudrait une glace à la pistache pour le goûter. Alléchée et amusée, elle s'exécuta avec application. C'est à peine si elle balança ses pieds sous la chaise de la salle d'attente pendant qu'il lui faisait réviser les règles du vouvoiement et le code de politesse adulte. Naturellement, il fallut l'empêcher de s'amuser à des jeux de mains – *ciseaux-pierre-papier* – dès qu'Hippo cessait de capter son attention. In extremis, il réussit également à lui interdire de faire des grimaces lorsqu'ils furent reçus par le policier chargé des personnes disparues.

– Bonjour, vous que je dois vouvoyer ! lui lança-t-elle le plus sérieusement du monde, en lui infligeant deux bises mouillées sur les joues.

Très étonné, le fonctionnaire les fit entrer avec courtoisie dans son cabinet. À la dernière seconde, Dafna renonça à s'asseoir sur le bureau du commissaire ! Pendant le rendez-vous, elle tripota les objets qui traînaient sur le bureau mais, par des coups d'œil sévères, Hippo parvint à la contenir. Quand on lui posait des questions, Dafna fixait son attention quelques instants avant de suivre les mouches du regard. Le plus difficile pour elle paraissait être de rester assise sur la chaise, sans s'allonger ou s'accroupir. Son intérêt ne se réveilla que lorsque leur interlocuteur hasarda :

– Retrouver vos parents ne sera pas facile, c'est un peu le jeu du chat et de la souris…

– Non, répliqua Dafna butée.

– Pardon ?

– Moi je claironne que c'est pas du tout du jeu. Parce que si on retrouvait pas notre maman, ma sœur, elle va devenir quoi sans elle ? Et si maman est morte, moi aussi je meurs.

– Je comprends votre peine éventuelle madame, répondit l'homme, très étonné qu'une femme de plus de trente ans ait à ce point encore besoin de sa mère. Mais… le chat et la souris, c'était une expression, malheureuse j'en conviens…

– Oui, très malheureuse. Parce qu'un vrai jeu, on peut en sortir, sauf si on se prend au jeu. Alors que là, moi je suis coinçouillée.

– Coinçouillée? reprit l'homme.

– Dans mon idée.

– Quelle idée? s'enquit le commissaire, troublé.

– Je veux voir ma maman, même si je suis débordée!

– Soyez-en certaine, madame, l'administration fera son possible.

– Si toi tu retrouves ma maman, t'auras une récompense : je te ferai un bisou.

– Merci, fit-il gêné.

– Alors que j'ai même pas envie de sortir avec vous parce que vous avez trop brioché, ajouta-t-elle en palpant le ventre de l'officiel. J'ai bien vouvoyé, là?

Vexé mais stoïque, le policier répondit par un sourire crispé, puis il accepta de lancer un avis de recherche pour M. et Mme Sofia, aperçus pour la dernière fois en 1980. Hippo expliqua alors que Dafna, son épouse, s'était fait voler ses papiers. Le temps de terminer les démarches pour les faire refaire, il proposa d'enregistrer la demande à son nom et présenta son passeport. De bonne volonté, le fonctionnaire un peu décontenancé promit d'ouvrir l'enquête.

– Souhaitez-vous encore ajouter autre chose? conclut-il.

– Oui, fit Dafna avec gravité, j'ai envie de faire pipi.

– Cela devrait pouvoir s'arranger…, répondit-il amusé par cette demande inattendue.

– Et je voudrais que vous arrêtiez de fumer, là, tout de suite, ajouta-t-elle. Votre fumée, elle sent le putois. Même que c'est sadique de nous la souffler dans le nez. Une sucette, à la place? proposa-t-elle.

Totalement effaré, l'homme eut à nouveau un sourire et refusa l'offre :

– Non merci, j'ai décidé d'arrêter…

– Bon, on va goûter, on n'est pas malpolis mais débordés!

Au sortir du bureau, Dafna fonça aux toilettes. Ensuite, Hippo s'efforça de la brider. Elle souhaitait improviser une marelle à cloche-pied sur le dallage noir et blanc du grand couloir. Mais lorsque la porte de l'ascenseur s'ouvrit, elle bondit dehors comme un chat sauvage en s'écriant :

– E-ssaye de m'a-ttra-per!

Dans la foulée, Dafna exécuta une superbe glissade! Le personnel en uniforme qui somnolait à l'accueil en demeura stupéfait.

– Tu me dois une glace à la pistache! lança-t-elle. C'est ma récompense.

Au coin de la rue, Hippo lui offrit un cornet à trois boules qu'elle dégusta en prenant sa main spontanément, avec la simplicité d'une fillette. Puis elle lâcha sa main chaude et grimpa sur les bancs. Sautiller au bord du trottoir lui était soudain nécessaire. Par réflexe parental, Hippo l'empêcha de faire trop de tapage et de fouiller dans les poubelles; elle voulait rapporter chez lui des emballages de divers produits qu'elle déclarait «excitants»! Boudeuse, elle obéit et renonça, pour un temps, à sa passion pour les ordures ménagères. Tout à coup, à la grande surprise d'Hippo, Dafna se planta devant une dame et lança avec amitié :

– Caroline! Ça fait combien de temps qu'on ne s'est pas vues? T'as des nouvelles de Juliette?

– Heu, oui, bredouilla la dame étonnée en se laissant embrasser.

– Tu ne me reconnais pas? Dafna!

– Ah, oui!

Elles causèrent quelques minutes, comme deux amies qui se connaissent depuis des années. Puis elles reprirent chacune leur chemin. Dafna déclara alors à Hippo :

– Je ne la connaissais pas, cette fille! Quand on les superche au dépourvu, les Culottés, ils acceptent de joujouter. T'as vu? Le truc, c'est de les dérouter… Elle a même pas osé dire qu'elle s'appelle pas Caroline! Elle m'a même donné des nouvelles d'une Juliette qui n'existe pas!

Dix mètres plus loin, Dafna refit le coup avec un vrai faux Hector, juste pour s'amuser puis, après avoir quitté le piéton interloqué, elle s'arrêta pour contempler avec envie des gamines qui jouaient à chat dans un jardin public. La gorge serrée, Dafna chuchota à Hippo :

– Tu sais, c'est trop dur de vivre par ici. Pour jouailler, je suis obligée de surprendre, d'astucer… Quand je vais dans les squares, les parents ont la frousse que je zouave avec leur petit. Les gardiens me chassent des parcs avec des sifflets. Pourquoi personne ne veut jouer avec moi? C'est dur d'être lointisée de chez moi…

Le visage de Dafna fut soudain traversé par une émotion violente. Elle s'assit sur le trottoir et explosa en sanglots.

– Je veux rentrer chez moi avec maman ! hurla-t-elle. Maman !

Hippolyte eut alors envie de la prendre dans ses bras. Impressionnés par l'abondance des larmes, les passants s'écartaient, fuyaient cette sincérité qui, chez les Culottés, sème la panique.

– Dafna, ton pays existe vraiment ? lui demanda Hippo avec douceur.

– Tu crois que je viens d'où ?

– Je ne sais pas…

– D'Enfance, j'te dis.

Hippolyte lui expliqua alors que, pour la totalité des humains – jusqu'à présent –, le passage progressif à l'âge adulte allait de soi. Dafna avait l'air d'ignorer que toutes les grandes personnes sont convaincues que chaque membre de notre espèce quitte tôt ou tard l'enfance. Ce changement obligatoire, souligna Hippo, postule une différence radicale entre les âges et le caractère

pathologique de ceux qui ne parviennent pas à adopter une conduite d'adulte.

– Pathologique, c'est quoi ce truc ? postillonna Dafna en séchant ses larmes.

– Ça veut dire malade.

– Pour toi, c'est une maladie d'être un enfant ? reprit-elle, choquée. Chez nous, c'est une chance.

Dafna évoqua à nouveau la destinée d'Ari, le libérateur des gamins de l'archipel. En l'écoutant, Hippo était de plus en plus intrigué par l'usage qu'elle faisait des conjugaisons. Dafna parlait du passé d'une étrange façon, au présent, comme si elle vivait en même temps le passé et l'instant immédiat.

– Pourquoi tu regardes tout le temps ta montre ? lui demanda-t-elle soudain. T'as un tic ?

– Non, je dois aller travailler, à la fac. Ça m'ennuie, mais je n'ai pas le choix.

Dafna parut contrariée et réclama son téléphone portable.

– Qui veux-tu appeler ?

– Donne, vite !

Il lui tendit l'appareil.

– C'est quoi le numéro de ton bureau ?

– Il est enregistré en numéro un. Que souhaites-tu faire ?

– Allô ? fit-elle en prenant la ligne et en imitant la voix d'Hippo. C'est Hippolyte Le Play. Je ne viendrai pas aujourd'hui. Souffrant ? Non, je vais super bien. Le motif ? Mais c'est qu'il fait beau ! Je préfère piétonner avec une amie. Demain ? Écoutez, ça dépend de la météo.

– Dafna, cria Hippo, ce n'est pas possible de se conduire comme ça !

– Bien sûr que c'est possible, puisque je le fais ! reprit-elle en imitant toujours sa voix. Allô ? Oui, on va manger des glaces… Salut !

Elle raccrocha et ajouta ravie :

– Et voilà… Ça t'enquiquine d'aller au travail ?

– Oui, mais…

– On est libres ! Il n'y a plus d'adultes pour nous surveiller, tu ne le savais pas ?

La vie s'organisa peu à peu. Amoureux et fasciné par Dafna, Hippo laissa pour la première fois Lulu et son frère Jojo en liberté. Il résolut de ne plus réglementer le quotidien, d'oublier ses réflexes de père, bref de faire confiance à ses enfants. Hippolyte cessa de les prier de ranger leur chambre, de débarrasser la table, de se laver les dents. Il souhaitait voir ce que pouvait donner l'absence d'adultes. Mais une existence sans discipline est-elle possible ?

8

Rien ne se passa comme Hippo l'avait imaginé. Leur existence commune se résuma bientôt à une enfilade de parties. Dafna se lia d'amitié avec Jojo, dont le caractère frasqueur s'accorda à merveille avec le sien. Le grand salon fut transformé en salle de jeux et la cuisine accueillit une fabrique d'avions en papier. Tous les objets usuels furent jouétisés. Dafna insista pour enluminer au feutre les fiches de paye d'Hippo et le canapé crème du salon. La totalité du domicile se changea en un vaste coloriage. Les murs et les bibelots, loin d'être enlaidis, retrouvèrent une nouvelle fraîcheur. L'esthétique du bonheur se mit à déferler sur les moindres détails.

Pour ce qui est de la vie ménagère, le résultat dépassa les craintes d'Hippolyte : ce n'était plus du désordre mais un raz de marée de bordel ! Personne, en dehors de lui, ne vit la nécessité de passer l'aspirateur, l'intérêt de faire la vaisselle ou de faire tourner la machine à laver le linge. Dans cette gabegie généralisée, Hippo cessa d'être un homme sage dans un corps dompté, une somme d'obéissances à des habitudes ennuyeuses. L'enthousiasme de vivre lui revint petit à petit.

Montmartre était pour Dafna une sorte de grand square dans lequel il était possible de solliciter les gens à n'importe quelle heure. Dès qu'elle avait besoin de quelque chose, elle ouvrait l'annuaire téléphonique et appelait un voisin à la rescousse :

– Allô ? C'est votre voisine, au 34 de la rue. Il me manque de la farine pour faire des crêpes au Nutella. Vous pourriez m'en apporter tout de suite ? De la farine et aussi du Nutella, avec des gobelets de sirop à la fraise. Mais j'suis pas râleuse, je suis prête à accepter du sirop à la menthe...

Au cinquième coup de fil, il se trouvait toujours une personne gentille pour rendre service ; quelles que soient les demandes de Dafna : du sucre glace, un manuel d'initiation à la magie, une arme à feu, du matériel de fakir ou d'avaleur de sabre, un déguisement de père Noël ou de juge, etc. Toutes sortes d'adultes et d'enfants au grand cœur défilaient donc chez eux. Une fois, Dafna voulut voler au secours de sa copine Charlotte, victime d'un ignoble abus de pouvoir.

– Allô, c'est la police ? J'aurais besoin d'une grosse voix pour gronder des parents qui obligent leur petite fille à manger des épinards et du foie de veau. Vous ne voulez pas venir ? Non, ce n'est pas une farce, ils l'obligent vraiment ! Franchement, c'est dégoûtant les épinards et le foie. Ça mérite la torture des chatouilles. Tiens, il a raccroché le policier...

Ivres d'enfance, Hippo et son étrange tribu s'amusaient pour la première fois à vivre, à prendre du plaisir tous les jours. En attendant que la préfecture donne à Dafna des nouvelles de ses parents, elle eut l'idée divertissante de se déguiser en journaliste… de *Photo-Match*. Pour se faire admettre au sein de la rédaction du célèbre magazine, elle imita au téléphone la voix du propriétaire et se recommanda elle-même ! Le stratagème marcha. Dafna fut engagée et Lulu se mit à traduire en lettres les articles qu'elle rédigeait en rébus. Dire la vérité dans un journal paraissait l'amuser. On lui donna des cartes de visite professionnelles, des petits bouts de carton qu'elle distribuait à tous les Culottés qu'elle rencontrait.

Tout paraissait donc pour le mieux dans le plus jouable des mondes. Mais l'humeur de Dafna s'assombrit brusquement un matin quand elle fit une découverte… incroyable !

Un matin, Dafna aperçut sur un mur de *Photo-Match* des photographies d'un homme cravaté qui ressemblait étrangement à… Casimir, l'abominable demi-frère d'Ari! Sa frimousse était devenue une trogne de grande personne sévère, mais ses petits yeux vicieux n'avaient pas changé.

– Qui c'est? demanda Dafna au journaliste qui l'avait interviewé.

– Casimir Chance, le ministre de l'Éducation.

Dafna crut s'évanouir. Casimir s'en était sorti! Il n'était donc pas fou du tout lorsqu'il était parti de la Délivrance! Sa ruse avait fonctionné et sa passion pour l'ordre adulte l'avait même conduit à faire carrière chez les Culottés. Nul doute qu'il était devenu une grande personne respectée en Europe, vu qu'il portait un costume gris avec une cravate réelle en tissu. Aussitôt, Dafna téléphona à la maison. Ce fut Lulu qui décrocha.

– Allô? Un ministre de l'Éducation, ça fait quoi chez les Culottés? demanda Dafna encore sous le choc de sa découverte.

– Ça dirige toutes les écoles en même temps, répondit la petite fille.

– Hein ? fit Dafna horrifiée.

– Oui, le ministre décide tout ce que les enfants doivent apprendre de force. C'est lui le chef.

Cette nouvelle terrifiante affola Dafna. Si le redoutable Casimir avait réussi à prendre la direction des écoles culottées, ça ne pouvait être qu'une très mauvaise nouvelle pour les écoliers. L'ex-chef des Adulteux avait toujours détesté les enfants qui avaient le culot de rester des enfants véritables. Lui qui avait été le chouchou du sinistre Claque-Mâchoire avait dû organiser un système terrible de répression des gamins fiers de l'être.

Pour en avoir le cœur net, Dafna eut l'idée de pénétrer dans l'école de Lulu et Jojo, histoire de constater elle-même comment on les traitait. Dès le lendemain matin, elle trottina avec eux jusqu'à la grande porte d'entrée de leur établissement. La seule vue de son peuple parqué dans une cour, cadenassé derrière de hauts murs, la bouleversa.

– Vous laissez bien la porte ouverte ? demanda-t-elle inquiète au brave directeur, en rajustant le costume de Davy Crockett qu'elle portait ce jour-là.

– Ah non, madame ! Et la sécurité, qu'en faites-vous ?

– Pourquoi vous pensez qu'il y a du danger partout ? Y a pas de loups !

– Je n'en suis pas si sûr, madame ! Surtout en ce moment, avec ce qu'on lit dans la presse...

– Monsieur, vous z'avez pas le droit d'enfermer les

enfants à clé, répondit Dafna avec fermeté en tendant sa carte de visite au directeur. Même si Casimir vous en donne l'ordre !

– Casimir ? fit le directeur désorienté.

– Oui, Casimir Chance, vot' ministre de l'Éducation culottée !

– Mais… tout d'abord il n'est pas *culotté*, comme vous dites, et ensuite je ne le connais pas !

– Mademoiselle, objecta le père de Charlotte, qui accompagnait sa fille, il ne s'agit pas de boucler nos chers petits mais de les protéger…

– Je me demande ce qu'ils en disent, les enfants, reprit Dafna en sortant son calepin d'enquête et un stylo. Est-ce qu'ils sont OK avec le réglement ? Est-ce que c'est eux qui décident de quoi jactent les leçons ? Répondez, je suis de *Photo-Match* !

– Madame, s'il fallait les consulter sans arrêt…, soupira le directeur en levant les yeux au ciel. Ce ne sont que des enfants !

– Tu veux dire des sous-personnes ? Des moutards, des mioches ? C'est ça que tu penses ? Mais dis voir, ils ont déjà eu des rôles importants dans ton jeu, tu leur a confié des vraies missions ?

Elle donna ensuite une carte de visite au papa de Charlotte, qui tenta de répondre aux interrogations qui la tourmentaient. Plus elle prenait conscience du statut *inférieur* dont étaient victimes ses frères et sœurs, plus cette ségrégation pleine de bons sentiments l'ébranlait. C'était donc vrai : il y avait chez les Culottés une humanité mineure, et une humanité majeure qui se donnait tous les droits ! Dafna poursuivit son enquête la gorge serrée, en jugeant hypocrite de camoufler la domination adulte derrière des attitudes protectrices et condescendantes. Pourquoi ce système infantilisant, ce désastre éducatif qui ruinait l'esprit de responsabilité des plus jeunes ? En classe, apprit-elle, la plupart des maîtres refusaient d'aborder les questions qui préoccupent énormément les non-adultes : comment se fabriquent les bébés, les cabanes dans les arbres ou les cloches en chocolat, le mystère des zézettes et des zizis, l'art d'apprivoiser les filles, de dresser ses parents, de les consoler quand ils sont peinés, comment se séparer de son doudou, etc. Aucun apprentissage ne correspondait aux demandes des élèves ! Au fond, personne ne faisait réellement confiance aux enfants ni ne songeait même à respecter pour de vrai leurs choix. On ne leur parlait que d'en haut.

Dafna resta sidérée par le perfectionnement de cet appareil déresponsabilisant maquillé en œuvre bienfaisante. Pourquoi infligeait-on à des gamins innocents cette monotonie désespérante ? Quel sadique avait décidé de contraindre leurs corps à de longs moments d'immobilité ? (Dafna haïssait les chaises !)

La seule réponse valable qu'elle trouva tenait en un mot : Casimir ! C'était la faute de Casimir ! Tout ce système portait la marque ce malfaisant qui avait toujours méprisé l'enfance ! L'héritier spirituel de Claque-Mâchoire s'était bien vengé en devenant ministre de l'Éducation.

– Mais, protesta le père de Charlotte, l'école les valorise également ! Quand un gamin a une bonne note, il est ravi.

– On les note ? releva Dafna scandalisée. Mais c'est

humiliant ! Et eux, est-ce qu'ils notent leur maître ou leur maîtresse ?

– Écoutez, tout ça est fait pour leur bien…, marmonna le directeur.

– Pour leur bien…, reprit-elle avec ironie.

– Nous pratiquons une pédagogie de l'éveil.

Exaspérée, Dafna répliqua :

– Moi, je connais plus d'adultes à réveiller que d'enfants !

– On note les petits, mais selon des critères adaptés, différents des nôtres, précisa l'enseignant.

– Parce que vous avez des critères pour enfants et d'autres pour adultes ? En plus on se moque d'eux, en les considérant comme des inférieurs, des minus, des pitres ! s'écria-t-elle, furieuse. Mais comment qu'ils auraient confiance en eux ? Ils sentent bien que vous les prenez pour de la crotterie ! Que ce qu'ils font a moins de valeur à vos yeux que ce que fabricotent les grandes personnes !

– Écoutez, s'insurgea le directeur, combien de fois faut-il vous le répéter ? Ce ne sont que des enfants !

– Tu dis « enfant » comme si c'était un vilain défaut ou un gros mot ! Tu sais quoi ? T'es laid du cœur et de la figure. Même immobile, on dirait que tu grimaces !

Hors d'elle, Dafna escalada la galerie.

– Qu'est-ce que vous faites ? s'exclama le directeur.

– Vous, vous me faites pitié, moi je fais mon devoir !

Elle se tourna vers la foule d'élèves dressés qui, au son de la cloche, avaient formé des rangs impeccables. Complices de leur servitude, les malheureux obéissaient d'eux-mêmes ! Un instant, Dafna resta sans voix devant le spectacle de ces gamins presque adultisés puis,

95

frissonnante de révolte, elle leur tint à peu près ce discours :

– Pouce, camarades ! Vous êtes deux cents et il n'y a que douze Culottés dans l'école pour vous garder, rebellez-vous ! Brûlez les chaises ! Refusez d'obéir à Casimir et à vos maîtres qui ne sont que des commandeurs ! Arrêtez de les copier et écrivez en rébus ! Sûr que les enfants sont beaucoup plus meilleurs que les grands ! Même qu'en CP vous apprenez à lire en un trimestre, alors que votre maîtresse, elle, qu'a-t-elle appris par cœur en trois mois ? Que dalle ! Les grandes personnes profitent de votre petite taille, alors que c'est pas de votre faute si vous avez sept ans ! C'est que des profiteurs ! Des Culottés ! De quel droit vous obligent-ils à pas pleurer quand vous êtes découragés, à dire «merci madame» alors que vous avez envie de tirer la langue ? Qui leur a donné la permission de vous mettre au dodo lorsque vous n'avez pas du tout sommeil, de vous empêcher de turbuler, de sauter dans les flaques d'eau, alors que c'est jouissif de zouaver ! Hein ? Eh bien, je vous le dis, croyez-moi, il y a sur cette terre un pays où les enfants sont libres ! Oui, délivrés des parents ! Sur mon île, on a eu le courage d'emprisonner le dernier adulte ! Et pis on l'a tué !

Secoué, le papa de Charlotte appela Hippo à la rescousse sur son téléphone portable :

– Votre amie débloque totalement ! Vous feriez bien de venir la chercher à l'école… Elle appelle le ministre Casimir…

Les prétendus mineurs regardèrent avec stupeur cette dame étrange. Elle parlait comme si elle n'avait jamais grandi! Qui était donc cette agitée qui élucubrait sur la galerie? Pas un rejeton ne bougea. Dafna en fut désespérée. Elle n'en revenait pas que ces enfants domestiqués ne fussent pas même conscients du caractère anormal de leur soumission, si spontanément consentie! Aussi accueillit-elle Hippolyte avec un air abattu. La colère de Dafna s'était soudain dégonflée devant l'énormité du drame.

– L'école, elle a gagné… Ils croient que leur esclavagerie est inévitable. Tout ça, c'est de la faute de Casimir… C'est une affreuserie…, soupira-t-elle.

– Oui.

– J'ai la comprenette lente, mais maintenant je devinette tout…

– Quoi?

– Pourquoi les gens d'ici sont tout moins que nous. Les Culottés, ils sont moins chagrineux, moins riants, moins barbares que les Coloriés. C'est l'école qui rend moins… Et quand ils sont plus, c'est quand ça sert à rien!

Dafna confia à Hippo que, chaque matin, elle calmait son tempérament de Coloriée en pédalant sur son vélo d'appartement jusqu'à s'essouffler. S'épuiser était sa façon de devenir moins, d'apaiser son besoin de zouaver. Ensuite, elle singeait mieux les adultes. Autrement, Dafna ne parvenait pas à se retenir de parler aux inconnus, à calmer sa gourmandise ou ses gros chagrins, à travailler au journal sans se laisser distraire par les mille événements du quotidien. Il est vrai que les détails qui excitaient sa curiosité étaient nombreux : la bizarrerie d'un nez retroussé, l'étrangeté d'un mot qu'elle avait subitement envie de répéter, de ruminer, le côté rigolo d'une

scène dans la rue, les mimiques de ses collègues journalistes qui réveillaient sa soif d'imitation.

Dafna lui avoua également les efforts surhumains
qu'elle faisait pour assagir ses réactions :

– C'est dur de se décolorier… Je suis tout le temps à
cacher qui je suis vraiment, à me surveiller. Au bureau, je
planque mes articles en rébus, je m'empêche de m'asseoir
par terre. Avant de traverser un couloir à cloche-pied, je
vérifie toujours que personne me zyeute. Quand je suis
accompagnée en reportage, je m'oblige à ne pas gambader
dans les squares. Chez *Photo-Match*, je ne pleurniche
jamais, même quand ils oublient mon goûter. Il n'y a
qu'avec toi, Lulu et Jojo que j'ose… que je bobarde pas.
C'est trop dur, parce que j'ai pas été redressée. Nous autres,
on a brûlé l'école sur la Délivrance. Alors, au boulot, des
fois je craque. Je m'enferme à clef toute seulette dans mon
bureau et je me fais une marelle, je sautille en improvisant
des claquettes sur ma table, je répète dix fois des mots
marrants, je ploufe pour choisir une enquête plutôt qu'une
autre, je m'offre des farces téléphoniques. Ça me détend !
L'autre jour, en sortant d'aller faire pipi, y a un moustachu
qui m'a surprise en train de gonfler une bulle de Malabar.
J'ai eu la honte… ça peut plus durer. Dis, à la préfecture,
ils vont bientôt trouver maman ?

– Je ne sais pas…

Brusquement, Dafna explosa. Elle en avait assez de
déguiser sa vraie nature, de s'excuser d'être plus dans un
monde de gens qui sont moins. À Paris, même son chien
imaginaire déprimait. Furibarde, elle expliqua à Hippo
qu'elle ne supportait plus d'entendre parler des enfants
comme d'êtres imparfaits, mal finis ! Quel toupet de

considérer ses semblables comme insuffisants, alors même que le peuple colorié prouve que les enfants, préservés des influences adultiennes, ne sont qu'exubérance et talents éclatants ! Car enfin, rares sont les Culottés capables de galoper sur un fil, d'imiter les voix et de dessiner avec le brio des Coloriés. Combien d'adultes savent chevaucher un zèbre ou courir après un singe pour le chatouiller dans un arbre ?

– Dafna, tu vas rester ici ou rentrer un jour chez toi ? lui demanda doucement Hippolyte.

– L'Enfance me manque…

– Où est le pays de l'Enfance ?

– Près de Pitcairn, sur la Délivrance. Mais il faut le dire à personne, c'est un secret.

À la suite de sa découverte de l'école, Dafna cessa de travailler. Consciente de la servitude que subissait la marmaille de nos pays, elle ne voulait plus s'intégrer au sein de la peuplade triste des grandes personnes. Même Hippolyte, trop sérieux, ne parvenait pas à lui donner envie de descendre de son arbre ! Au fond, sa participation à l'univers adulte la décevait. Lui manquaient les émotions vives et changeantes des Coloriés qui, d'un instant à l'autre, éclatent de rire ou sombrent dans le chagrin. Et puis, comme Tarzoony, Dafna se sentait terriblement seule. Loin de son archipel, il lui paraissait si difficile d'entrer en relation avec les Culottés. Chaque fois qu'elle adressait la parole à une dame ou un monsieur de façon directe, dans la rue, elle avait le sentiment de déranger ou de passer pour une simplette.

Il arriva donc ce que l'on pouvait craindre : Dafna disparut un beau jour à bord d'une montgolfière.

10

Hippo crut mourir de chagrin. Sans Dafna, l'existence redevenait pour lui une somme d'habitudes, un plat sans sel. N'était-elle pas la seule femme capable de faire de l'amour un jeu permanent et drôle? Il lui paraissait impossible de revenir vers des filles qui aimaient avec gravité, de refaire la cour à des *girls* qui souhaitaient vieillir dans un mariage prévisible et raisonnable.

Persuadé que Dafna était rentrée chez elle (alors qu'elle était en réalité planquée au zoo de Vincennes), Hippo tenta de monter une expédition officielle chez les Coloriés. Il était certain que sa bien-aimée folâtre avait regagné son archipel au plus vite, histoire de remettre entre elle et les adultes toute la distance de la terre.

Par hasard, Hippolyte apprit qu'un vaisseau militaire devait visiter bientôt l'île de Pitcairn, située à proximité de la Délivrance. Il devenait nécessaire d'agir vite et de prendre une décision hardie. Hippo eut donc l'idée de placer l'archipel des Coloriés sous la protection des plus hautes autorités adultes. Pour cela, il lui fallait avertir ses confrères ethnologues de son expédition scientifique. Hippo craignait qu'une colonisation touristique mal contenue ne vînt dérégler un jour ce petit univers. Son insistance et l'estime que lui valaient ses travaux lui permirent d'intervenir lors de l'assemblée suivante de la Société Française d'Ethnologie.

Une foule attentive se pressa donc le 18 juin 2003 pour écouter son discours dans le grand amphithéâtre, à Paris. Tous les grands ethnologues étaient là. Chacun s'attendait à entendre des observations sérieuses, alourdies de précautions anthropologiques un peu ennuyeuses. Aussi l'assistance resta-t-elle subjuguée par ses révélations :

– Mes chers confrères, lança Hippo avec exaltation, nos envies les plus folles peuvent être vécues sans danger, nos tristesses et nos terreurs peuvent enfler jusqu'au délire sans que le monde s'écroule. Il est possible d'être parfaitement amoral, de faire de la vie une fête. J'ai acquis la certitude qu'il existe quelque part sur cette terre un petit peuple assez sage pour être totalement imprudent. Il y a chez cette nation singulière une vitalité plus pleine, plus prodigue, plus exubérante que le maigre pouls qui anime nos vieux pays. Pourquoi, me direz-vous ? Parce que c'est une culture sans parents. Ces galopins ont eu la maturité d'assassiner le dernier adulte ! De se débarrasser de nous et de nos idées sérieuses !

Ahuri, l'honorable Président de la Société l'interrompit :

– Mon cher collègue, au risque de diminuer votre enthousiasme juvénile…

– … ridicule ! lança un expert des Algonquins de l'Ontario.

– … pourriez-vous, reprit le Président, circonstancier vos considérations, mettre un peu de méthode dans vos analyses… ?

Armé de précisions, exhibant une poignée d'indices, Hippo tenta de prouver l'existence de cette société rebelle. Il expliqua le zèle de ces adulenfants à ne pas travailler, leur bonheur à triompher de l'ennui en jouant plutôt qu'en consommant. Mais plus il argumentait, plus on lui fit sentir la puérilité de sa communication. Quelques paroles ironiques coupèrent ses propos. Jacob Strauss – un spécialiste des Iks, l'ethnie sans amour d'Afrique orientale – le moqua. Félix Duchaussoy – fin connaisseur du peuple gaucher des îles Marquises – s'indigna de ce qu'il prit pour un canular. L'illustre Victor Plaisance le cribla d'injures aborigènes en ajoutant qu'il déshonorait leur institution. Les sarcasmes les plus cruels se déversèrent enfin en cataracte. Quoi, l'enfance, une culture ordinaire parmi d'autres ? La sincérité constante, une option concevable ? L'auto-éducation, une possibilité ? On le cloua au pilori des imposteurs ou, au mieux, des plaisantins.

– Vous n'avez pas le droit de passer à côté d'une découverte pareille, d'ignorer un événement majeur ! s'insurgea Hippo à pleins poumons.

Quelques quolibets achevèrent d'éteindre son enthousiasme d'homme amoureux, car sa fièvre découlait bien des sentiments tendres qu'il nourrissait à l'égard de Dafna. Sur le trottoir, hébété devant tant d'imbécillité, Hippolyte décida alors de partir seul pour ce territoire où les adultes étaient interdits.

N'allez pas en déduire qu'il était courageux ; non,

amoureux demeurait un terme plus approprié à son état. Il n'avait que l'éclat de Dafna en tête, et le souvenir obsédant de leur histoire à peine commencée. Incapable de l'oublier, Hippo s'inquiétait à chaque instant de son sort, de son errance dans l'univers rempli de pièges des Culottés. Tracassé, il rappela un matin la préfecture de police pour s'informer de l'état des recherches de sa maman. Le fonctionnaire qui lui répondit resta d'abord muet d'étonnement.

– Mais…, finit-il par bredouiller, votre épouse ne vous a pas averti ?

– De quoi ?

– Elle est passée à la préfecture, et nous avons eu le regret de lui apprendre que ses parents ont péri en janvier 1980, lors du naufrage du *Melbourn*, au large de l'île de Pitcairn.

– Quand l'avez-vous vue ?

– Il y a dix jours. Elle ne vous a rien dit ?

L'homme lui rapporta la scène, encore secoué par la réaction inattendue de Dafna. Avec précaution, il lui avait communiqué les documents de la compagnie d'assurances qui certifiaient que tous les passagers sans exception étaient morts, pulvérisés par un cyclone. Dafna s'était levée de sa chaise et avait poussé un cri de bête en se recroquevillant dans un coin du bureau. Son hurlement avait figé la préfecture de Paris. Pendant dix bonnes minutes, Dafna n'avait pu calmer sa douleur, limiter l'intensité de ce cri qui s'était prolongé jusqu'à ce que ses cordes vocales, écorchées à vif, se déchirent. Puis Dafna était sortie tranquillement de la préfecture. Sur le dallage à damier du grand couloir, elle avait alors esquissé une marelle d'un pas guilleret. Son cri l'avait purgée de sa souffrance.

Hippolyte raccrocha. Il ne lui restait plus qu'à quitter le monde des Culottés.

II

UN ADULTE
CHEZ LES COLORIÉS

1

Sur la Délivrance, les Coloriés se la coulaient douce. Un matin, le petit Harold se rendit au bord de la mer. Max, son cormoran personnel, souhaitait pêcher. Ce moutard grassouillet se trouvait ce jour-là quasi nu et colorié de la tête aux pieds. Il s'était dessiné sur le corps et la figure des poulies et des câbles pour se déguiser en automate. Harold rêvait depuis toujours de posséder un être humain mécanisé.

Perdu dans ses pensées, Harold furetait sur la plage à la manière d'un robot vibrionnant, quand il aperçut un bateau à rames. Aussitôt, il se planqua en grimpant dans les branches d'un arbre. À bord de la baleinière, des Culottés s'agitaient. Harold n'en avait encore jamais vu ; mais il savait, en bon Colorié, combien cette race pouvait être dangereuse pour les enfants lorsqu'elle se sent en position de supériorité. Sur l'île, tout le monde était au courant de la grande obsession adultienne : les parents attrapaient les petits et tentaient avec ténacité de les transformer en Culottés, avec une incroyable bonne conscience.

La barque s'approcha discrètement de la côte et ne
déposa par chance qu'un seul Culotté sur l'île, pas trop
costaud. Un désir fou germa alors dans le cerveau
espiègle d'Harold. S'il capturait cet imprudent et qu'il
parvenait à le cacher, il aurait alors un adulte pour lui tout
seul! Son excitation était celle d'un polisson enchanté à
l'idée de se procurer un hamster capable d'animer la roue
d'une cage. Pouvait-il posséder un animal domestique
plus attrayant?

Sur la plage, Hippolyte portait des vêtements en tissu
et un bagage léger. Tandis que la baleinière des Pitcairniens qui l'avaient accompagné s'éloignait, il se sentit
brusquement seul au monde. Sur cette île qu'il foulait
pour la première fois, le passé n'existait plus. L'avenir
aussi avait disparu. Aucun miroir ne refléterait plus son
apparence. Qu'allait-il devenir dans ce pays désadultisé si
Dafna n'y était pas? Hippo eut soudain peur d'être assas-
siné. Dafna avait été claire : les Coloriés regardaient les

Culottés comme d'anciens oppresseurs à traquer, des canailles qui rêvaient de les asservir à coups de fessées, de calmer leur fantaisie bondissante et de les expédier à la chiourme sur des bancs d'école. Selon l'adage spirituel répété par Ari : «Un bon adulte est un adulte raccourci», entendez décapité, bref ramené à des proportions d'enfants. Il y avait de quoi réfléchir.

À sa grande surprise, Hippo vit alors débouler un zèbre lancé au grand galop sur la plage. Plus il se rapprochait plus l'ethnologue distinguait les rayures particulières de l'animal. Son pelage avait été colorié par un être humain qui, sans doute, refusait la décoloration du monde ! Hippo n'en croyait pas ses yeux. Ce zèbre n'était pas noir et blanc mais bien rouge vif et jaune or, comme s'il avait été chargé de signifier l'énergie d'un peuple pour qui la joie n'est pas une humeur mais un état permanent.

Dans son arbre, Harold fut saisi de panique. Quand on voyait le zèbre d'Ari, son maître n'était jamais loin. Si Ari tombait sur son Culotté, jamais il ne le laisserait

l'apprivoiser. Sûr qu'il le ferait mettre à mort ou qu'il l'expulserait de l'île ! Rapide comme l'éclair, Harold saisit sa fronde, visa l'adulte et l'atteignit du premier coup.

Hippolyte crut que sa tête explosait et perdit conscience.

Quelques heures plus tard, il s'éveilla dans une cabane avec une solide migraine, surplombé par un petit filou de huit ans au regard méfiant. Tout son corps était recouvert de dessins de rouages et de poulies.

– Ne bougeote pas ! lui lança-t-il. Sinon j'appelle les autres et ils vont te tuer. J'suis un robot. Et toi ?

– Je suis déguisé en adulte, répondit Hippo en essayant de le feinter. Tu ne le vois pas ?

– C'est même pas vrai.

– Quoi ?

– T'es qu'un Culotté pour de vrai. Même que tu pues l'adulte ! Je t'ai vu descendre du bateau des Culottés, en douce, ce matin.

– Que m'est-il arrivé ? demanda Hippo en portant la main sur sa nuque qui lui faisait mal.

– Je t'ai tiraillé une petite pierre à la fronde, pour te capturer. Et maintenant t'es mon prisonnier et celui de Max et Roberto.

– Max et Roberto ?

– Mon cormoran et mon singe.

Harold lui présenta son oiseau blanc peint en perroquet multicolore et son chimpanzé travesti en clown comme s'ils avaient été des membres de sa famille ; ce qui était d'ailleurs le cas.

– Tu vas rester là, caché, et tu seras qu'à moi, comme une bestiole de compagnie gratuite.

– Gratuite? reprit Hippolyte surpris par ce terme.

– Oui, c'est très important pour moi parce que je suis radin, précisa Harold en souriant de toutes ses quenottes. Je voulais un adulte rien que pour moi, qui me coûte zéro, juste pour zyeuter comment vous êtes, t'observer quoi! Et maintenant que je t'ai pour pas un dé...

– Pas un dé? s'étonna Hippo.

– Ici, on achète avec des morceaux de hasard, des dés. Eh ben tu vas répondre à mes questions, gratos. La première, c'est... les parents, ça sert à quoi?

– À... À protéger.

– De quoi? s'étonna Harold.

– De... Tu n'en as pas?

– Non.

– Tu n'es pas né dans une fleur! s'exclama Hippolyte.

– Non, dans la zézette de la grande Mina. Mais sur l'île, nous, on n'a pas besoin de parents. On a des singes et des cormorans.

Hippo et Harold discutèrent longtemps, mais le gamin ne put lui fournir aucun détail précis concernant Dafna. De toute évidence, celle qu'il aimait n'avait pas encore rejoint son île. Ils s'en tinrent à des considérations générales sur les Coloriés et leurs coutumes. Alors vint à Hippolyte une idée un peu folle pour se faire accepter.

– Si je devenais ton jouet, Harold ? Tu crois qu'Ari me laisserait vivre avec vous ?

– Mon jouet ? répéta le petit, intrigué.

– Je vaudrais quelque chose. Tu aurais le plus beau jouet du monde, un jouet humain !

– Gratuitement ? demanda-t-il l'œil allumé.

– Oui...

– Ça alors... ce serait encore mieux que de m'avoir comme robot !

– Mais... comment je peux faire pour devenir ton véritable jouet ? Je n'ai aucune expérience...

– En disant plus *je,* répondit Harold. Mes cerfs-volants ils n'ont pas d'avis ! Faut que tu deviennes un jouet qui m'obéit comme une marionnette en viande ! Sinon, je ne peux pas t'emmener jouer avec les autres Coloriés. Ils vont te couper le cou. Ils vont bien voir que t'es qu'un faux jouet.

– Oui, mais je...

– Ne dis plus *je* ! hurla le minuscule tyran. D'ailleurs tu n'as plus de nom. T'es plus toi, t'es à moi ! À moi ! Alors maintenant, tu m'obéis...

Hippo inclina la nuque en signe de servitude acceptée. Après avoir été le jouet des adultes pendant toute son enfance, pour gagner l'amour de ses parents, il redevenait volontairement le jouet de quelqu'un ; mais cette fois

Hippo se livrait à la merci d'un petit dictateur capricieux, dans l'espoir d'assurer sa survie. Que n'avait-il suggéré autre chose ? Être le jouet d'un tyran de huit ans se révéla vite un sport épuisant !

2

– Aujourd'hui, déclara Harold en donnant à Hippo un pot de peinture, on dirait que tu serais un avion rouge !

– Je pense…, protesta l'adulte.

– Un jouet ne dit pas *je* et ne pense pas ! coupa net Harold. Allez, à poil ! Je vais te peindre en avion.

Quelques instants plus tard, quasiment nu et entièrement peinturluré en rouge, Hippo produisait avec sa bouche le bruit pétaradant d'un bimoteur ; puis il décolla en faisant vibrer sa carlingue de chair avant de s'élancer. Harold juché à califourchon sur ses épaules. Il s'était également teint les bras en rouge sang et les tendait à l'horizontale pour simuler un biplan semblable à celui qu'il avait vu sur un vieux livre d'images. Le nez d'Hippolyte tenait lieu de manche à balai et ses oreilles servaient d'aérofreins. Enchanté, Harold manipulait la figure d'Hippo avec vigueur. L'ethnologie mène parfois à d'étranges concessions sur le chapitre de la dignité.

C'est dans cette posture un peu ridicule qu'Hippo franchit le 12 septembre 2003 le boyau qui mène à l'intérieur

du volcan éteint. Harold était agrippé à ses oreilles, tandis que l'étrange biplan rouge fonçait vers la petite capitale. Coloriage siestait au bord du lac transparent. Les bras en croix, Hippo vrombissait avec conviction. Il en allait de sa sécurité. Si les Coloriés doutaient de sa condition de jouet, sa peau ne vaudrait bientôt plus très cher. Il persévérait donc. Harold lui-même avait commencé à croire en la nouvelle identité d'objet volant d'Hippolyte. En digne Colorié, le gamin se persuadait sans difficulté de la véracité des histoires qui lui plaisaient.

Sur la place centrale de Coloriage circulaient en liberté des trentenaires qui baladaient des cerfs-volants, des élégantes qui gaminaient, des funambules de quinze ans

qui traversaient la rue principale sur des fils tendus, des sulkys tirés par des zèbres repeints en arc-en-ciel. Tout ce petit monde zigzaguait, se courait après, jouait à chat en se faisant des farces, tirotait la langue, tournicotait autour des poteaux en se mêlant aux lémuriens farceurs. Chacun portait des vêtements dessinés en trompe l'œil. Un carnaval de couleurs ardentes ! Un dénommé Hector sortit d'un bar – *Au Bon Goûter* – en enchaînant des pirouettes arrière, tandis qu'un minot surgissait en faisant tournoyer une assiette au bout de sa canne. Trois garçonnets mal peignés déambulaient au milieu de la rue, en équilibre sur de gros ballons écarlates. On se serait cru à une parade de cirque ! Une chose déconcerta Hippo : la quantité inattendue de mariées (de cinq à trente-cinq ans) qui trottinaient sur les trottoirs en s'applaudissant mutuellement. Mais le plus frappant à ses yeux restait l'ahurissante similitude de comportement de tous ces individus d'âge différent. Tous sarabandaient en produisant un vacarme extraordinaire où se mêlaient piaillements, cris et bruitages divers.

L'aspect des maisons de bois fascina Hippolyte. Il ne se trouvait plus un centimètre carré de façade qui ne fût bariolé, zébré de couleurs. La ville de Coloriage méritait bien son nom. Un peu partout étaient peints des points d'interrogation rouges, l'emblème national des Coloriés. De toute évidence, ce pays préférait les questions aux réponses ! L'horloge de l'église avait été fracassée. Ici, le temps avait cessé de s'écouler à quinze heures trente, un après-midi agité de 1980. Au centre de la place était érigée la statue d'un petit garçon qui brandissait pour l'éternité un poing serré sur un jouet ; il s'agissait d'Ari, bien entendu, tel qu'il se présentait à l'époque héroïque de ses dix ans.

Les bras toujours étendus, occupé à faire gronder ses moteurs fictifs, Hippolyte observait tout. Épuisé, il atterrit dans un vacarme démonstratif et vint se ranger devant l'entrée du théâtre où l'on vendait des crêpes, payables en cartes à jouer et en dés. Son jeune pilote sauta à terre, avec le baluchon qui contenait les vêtements d'Hippo, ceux qu'il portait du temps où il n'était pas encore un jouet. Harold avait l'intention de confier ses habits de grand au vestiaire du théâtre, qui conservait les costumes nécessaires pour jouer la comédie adulte : des uniformes de policier, des panoplies de père de famille, quelques tenues d'épouse, trois ou quatre robes de magistrat, etc. Ces déguisements permettaient aux Coloriés de jouer aux adultes sur scène, activité comique qui faisait se tordre de rire le public de la Délivrance.

Ce jour-là, justement, une farce adultienne se préparait. Mais, en tant que jouet, Hippolyte n'était pas convié. Immobile, il resta les bras en croix pour bien signifier aux passants qu'il n'était pas un vulgaire humain. Quelques badauds à figure d'enfant (peinte ou réelle) l'asticotèrent de questions mais, fidèle à son statut de bimoteur, Hippo demeurait muet. L'assistance commençait à s'agglutiner autour de lui. Une escouade de galopins montés sur des échasses (de trois à trente ans) venait de débarquer en chevauchant des montures imaginaires dont ils reproduisaient le bruit des sabots en faisant claquer leur langue : *piticlop, piticlop...* Sur leurs corps étaient dessinées des armures fictives aux couleurs arc-en-ciel d'Ari. Ils appartenaient à sa police de *Rapporteurs*, chargée de dénoncer toute conduite réputée adulte. Avoir affaire à ces lascars était le début des vrais ennuis.

– C'est qui ? demanda le sinistre Cornélius, chef des Rapporteurs qui montait un destrier à cornes (une vache déguisée en zèbre). Oui, c'est qui celui-là ? ajouta-t-il en désignant Hippo. Ari a dit : « Pas de Culotté chez nous ! »

– C'est pas un Culotté, c'est mon jouet ! répliqua Harold de retour.

Cornélius ricana froidement. Son unique passion était de se montrer le plus fanatique des Coloriés. Tatillon, cette fripouille miniature appliquait les idées d'Ari avec l'inhumanité que seuls les enfants peuvent développer.

– Ton jouet..., ironisa l'abominable Rapporteur.

– Tu parles ! fit une petite rouquine. C'est rien qu'un Culotté qui se croit tout permis !

– C'est même pas vrai ! s'insurgea Harold en grand pétard. C'est mon avion et ma marionnette. D'ailleurs il s'appelle Personne et fait tout ce que j'y dis.

– Qu'est-ce qui nous prouve que tu balivernes pas ? reprit Cornélius du haut de son bovin rayé.

– Vole ! ordonna soudain Harold à Hippo.

Surpris, Hippolyte eut alors l'imprudence d'escalader un arbre. Tous les Coloriés se demandaient ce qu'il allait bien pouvoir faire pour voler ! Comprenant qu'il n'avait pas le choix et que son geste périlleux allait peut-être lui sauver la vie, Hippo se mit à faire vibrer ses ailes tout en faisant chauffer des moteurs imaginaires puis, soudain, il s'élança dans le vide afin d'exécuter un envol improbable. Chacun retint son souffle. Hippolyte tomba comme une pierre sur le sol et se fit horriblement mal. Satisfait, Harold s'adressa à la cantonade de plus en plus nombreuse :

– Écoutez tous ! Si ç'avait été un vrai Culotté, il ne m'aurait pas obéi. Les adultes, ils se font obéir, c'est que des commandeurs ! Tout le monde le sait ! C'est même à ça qu'on les reconnaît... Alors que Personne, lui, c'est sûr que c'est une marionnette en viande ! Jamais un Culotté n'aurait fait un truc aussi déraisonnable que d'essayer de voler !

L'attroupement applaudit. Même les Rapporteurs – sauf Cornélius – approuvèrent les propos d'Harold. D'un coup, Hippo (désormais surnommé Personne) se tailla auprès de la rue coloriée la réputation d'un jouet authentique ; ce qui, dans leur esprit, méritait le plus grand respect. Quelques réticents vite convertis demandèrent à Harold s'il accepterait de prêter son jouet viandé ; mais ce dernier, fier de posséder un aéroplane vivant, déclara qu'il le conservait pour son usage personnel.

Mais où se trouvaient donc Dafna et l'énigmatique Ari ? se demandait Hippo, qui se remettait tant bien que mal de sa chute brutale. Celle qu'il aimait paraissait encore absente de l'île et le second, malgré son rôle de leader, demeurait invisible. Le visionnaire farceur vivait-il parmi les siens ou reclus quelque part dans son royaume de poche ? Rien ne le désignait, aucune déférence ne signalait la présence d'un chef exceptionnel patrouillant dans les rues. Hippolyte supposait que cette sorte d'individu magnétique dégage toujours quelque chose d'un peu frimeur, une assurance évidente. Or il ne voyait que des garnements vitaminés, des loustics peinturlurés qui se couraient après avec des pistolets en bois. Hippo n'avait pas remarqué qu'Ari l'observait en retrait avec curiosité. Qui pouvait bien être cet adulte bizarre capable d'une conduite aussi déroutante ? Suspicieux, Ari avait de la peine à croire que Personne fût réellement un jouet.

Était-il un espion des Culottés ?

3

Le lendemain, Harold emmena Hippo trottiner sur la croupe de son zèbre jusqu'à une clairière. Ce trou dans la jungle se présentait comme une respiration au sein de la végétation un peu folle qui les environnait. Ari était, selon la rumeur, imbattable en cachettes. Par précaution et aussi pour s'amuser, Harold banda les yeux d'Hippo tout au long de leur itinéraire buissonnier.

– J'ai le cœur fendu de te perdre, lui confia le gamin. J'aurais bien aimé te martyriser un peu, te déglinguer… Mes jouets, y a toujours un moment où j'ai envie de les détraquer !

– Personnellement, je me félicite que cet heureux moment ait pu être évité…, répondit Hippo avec flegme.

– Je n'aurais pas dû te jouer à la courte-paille, soupira Harold. Un jouet en viande, ça ne se trouve pas tous les jours… En plus, tu ne m'avais rien coûté ! Et je n'ai même pas eu de récompense de t'avoir trouvé !

Quand Harold dénoua le foulard, il laissa Hippolyte seul au milieu de la jungle en lui assurant qu'un guide viendrait bientôt le conduire jusqu'à la cabane secrète d'Ari. Par souci de sécurité, Hippo avait décidé de gommer ses réflexes de Culotté pour imiter les attitudes dociles d'une marionnette vivante. Il savait qu'Ari n'était pas un adulenfant comme les autres mais bien la doctrine coloriée en action, le garant de sa petite civilisation d'insurgés. Toute conduite teintée d'adultisme risquait fort de déclencher chez Ari, lui avait-on dit, une épouvantable crise de colère.

Dès qu'Harold eut décampé, Hippo vit surgir des fougères géantes un grand dadais de plus de trente ans juché sur des échasses. Une trogne souriante et des cheveux roux. Sur sa poitrine et son visage, deux points d'interrogation étaient peints. Aussitôt, Hippo sentit que ce colosse de plein vent était bâti tout en effervescences et en appétits. Il était de ces gourmands qui arrachent la sympathie, séduisent toutes les filles des arbres et magnétisent les foules. Souriant, l'énergumène aux allures de gorille se présenta :

– Salut, moi je m'appelle Petit Louis, et toi ? lui lança-t-il en imitant la voix d'Harold.

– Personne, je m'appelle Personne car je suis un jouet et un jouet n'a pas de nom, répondit Hippo d'un air absent. Mais... pourquoi parles-tu comme Harold ?

– Pour que la voix de ton maître reste la même... Allez, Ari t'attend, suis-moi. On va goûter en route ! J'ai de la citronnade et des sucettes au miel... On rentrera demain. T'as apporté ton pyjama ?

– Non...

– Tant pis. Je t'en dessinerai un.

Louis lui tendit d'autres échasses et l'invita à le suivre

en faisant hennir un poney fictif. Par chance, Hippo avait possédé jadis une paire d'échasses, un cadeau de son grand-père landais. Il put donc lui emboîter le pas sans faire trop pâle figure et tenta de reproduire le *piticlop-piti-clop* qu'il faisait avec sa bouche pour simuler le bruit de sa monture.

– Ces poneys imaginaires sont un peu feignants, il ne faut pas hésiter à les brusquer ! déclara Petit Louis qui devait avoisiner les quatre-vingt-dix kilos. Et quand on sera arrivés, on se fera une partie de colin-maillard. Ari adore ce jeu. Allez, au galop ! hurla-t-il avec sauvagerie en s'élançant à perdre haleine.

Ce Colorié était l'un des plus saisissants garnements de la Délivrance. Dafna avait déconcerté Hippo, cet énergumène le jeta dans une sidération complète. Petit Louis n'était qu'une exagération, comme si rien ni personne n'avait jamais limité, calmé ou fixé son caractère. L'œil perpétuellement en éveil, à l'affût de tout, Louis était un blagueur glouton et très impertinent. Très vite, Hippo comprit pourquoi Ari s'était attaché les services de cet animal qui demeurait toujours sincère, alors même que cohabitaient dans son cerveau en ébullition dix caractères incompatibles, à qui il attribuait des voix différentes ! En l'espace de dix minutes, tandis qu'ils trottinaient sur leurs échasses, Louis s'amusa à jouer deux rôles, passa d'une voix à l'autre, entra en conflit contre lui-même de façon déroutante sur un sujet qui, apparemment, le tracassait : la fidélité. Devait-il s'adonner à ce jeu – la fidélité amoureuse – ou cavaler de fille en fille en leur brisant le cœur ? Cet amusement sadique – la rupture – était devenu, à l'entendre, l'un de ses sports favoris. Il avait l'air de jouir véritablement de saccager les sentiments de ses petites amies, avec la cruauté d'un galopin vicieux qui arrache les pattes d'une sauterelle. Mais, dans le même temps, l'autre voix de Louis – plus claire et chantante – paraissait charmée par l'idée de s'engager avec une seule fille jusqu'à la mort.

– Bon, on va goûter avant de repartir, déclara-t-il.

Louis ouvrit sa besace pleine à craquer de vivres et dévora deux kilos de tortue cuite dans du jus de citron, une fricassée de figues, un demi-poulet boucané, du crabe de cocotier bouilli et ne proposa à Hippo que… quelques galets sur lesquels il avait dessiné des oiseaux rôtis et des bananes. Sans sourciller, Hippo se pourlécha de ce gibier imaginaire, savoura ce plat dessiné en le commentant avec enthousiasme. Quant aux bananes coloriées, il fit semblant de les avaler en mimant une déglutition d'affamé. Effectivement repu – car ce jeu commençait à persuader son estomac qu'il était satisfait –, Personne déclara à Louis qu'il se sentait prêt à siester.

– Personne, si tu n'avais pas mangé ces croquis, Ari t'aurait sans doute étranglé, lâcha soudain Louis.

– Pourquoi ? demanda Hippo.

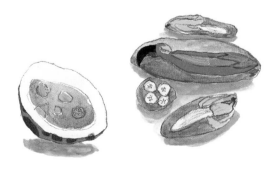

– C'était un test..., répondit l'ogre avec malice. Les adultes ne savent pas se raconter des histoires en y croyant. C'est même à ça qu'on les reconnaît. Quand on joue à on dirait qu'on serait avec un Culotté, il n'y croit jamais tout à fait. Toi, t'as trouvé goûteux ces dessins... et tu t'en es satisfait. T'es pas un Colorié, mais tu crois aux histoires. Tu vas donc rencontrer Ari.

– Il est où ?

– Devant toi.

– Pardon ?

– Je suis Ari.

Ravi de sa farce, le faux Louis se mit à hurler de rire. La jubilation qui le secouait laissa Hippolyte déconcerté. Il cherchait un tyran à la fois barbare et philosophe et tombait sur un grand fripon plié de rigolade. À quatre pattes, Ari se tenait les côtes pour ne pas s'asphyxier tant il était content d'avoir berné Personne. Il jubilait d'avoir converti un souci – le débarquement d'un Culotté – en une occasion de canular.

– Personne, lança-t-il à Hippo, tu es digne d'être un enfant ! Je n'avais pas ri comme ça depuis longtemps !

– Merci, mais... qu'est-ce que tu reproches aux adultes ? lui demanda soudain Hippo qui brûlait de lui poser cette question depuis longtemps.

– Je n'aime pas leurs frustrations et leur goût pour les râleries. Pourquoi ils boudent la vie ? Y z'ont pas l'air d'éprouver une grande joie d'être nés. Pourquoi veulent-ils tout prévoir, au lieu de profiter ? Pourquoi s'imaginent-ils qu'il faut forcément accomplir des choses utiles ? Qui les a remplis à ras bord de passé ?

– C'est pour ça qu'ils sont interdits dans l'île ?

– Oui. Leur culture triste, elle est contagieuse. Alors on les a mis en quarantaine loin d'ici.

– Ils viennent parfois ?

– Parfois... on en capture un et on essaie de le déséduquer : on lui apprend à ploufer au lieu de raisonner, à vivre avec un cormoran, à parler aux bébés, à jouer à aimer les filles, des truqueries comme ça. Et si ça rate de le déséduquer (s'il tombe amoureux sérieusement, par exemple), on le tue.

– C'est une... une image ?

– Non, on ne dessine pas sa mort. On le décapite ou on l'étrangle...

– Ah..., fit Hippo en blêmissant.

– Et comme tu as des belles mains, la prochaine fois tu vas être mon étrangleur d'adultes...

– Ah...

– Se faire étrangler par un jouet, ça c'est épatant ! Mais qu'est-ce qui t'a fait venir ici ? poursuivit Ari.

– Une jolie fille.

– Tu sais qu'aimer sérieusement c'est une faute grave ici ?

– Ça veut dire quoi aimer sérieusement ?

– Les Culottés ne s'amusent pas vraiment avec les filles. Ils ne cherchent pas à pirater avec elles dans les arbres, à surprendre leur désir. Une fois qu'ils les ont embrassées, ils s'imaginent qu'ils ont des droits sur elles ! Du coup, le charme se rompt complètement ! Nous, les Coloriés, on joue comme des fous à se chavirer le cœur, à s'étourdir de s'inquiéter, à se redonner envie. Chaque journée est une partie toute neuve ! Mais... c'est qui ton amoureuse ? demanda soudain Ari en bâillant. Une Coloriée ?

– Oui. Elle s'appelle Dafna.

– Celle qu'invente notre journal, *Arc-en-ciel*?

– Oui, je crois…

– Ça alors! fit-il en se frottant les yeux. Elle est rentrée hier et je dois la juger ce soir!

– La juger? Mais qu'a-t-elle fait? demanda Hippo le cœur battant.

– Mes Rapporteurs l'ont dénoncée pour adultisme aggravé… C'est pas de pot, si elle est condamnée c'est toi qui vas l'étrangler!

– En effet, bredouilla Hippo, c'est pas de pot…

– Remarque, fit Ari en souriant, ça pimente le jeu…

– Quel jeu?

– Le jeu du tribunal.

Hippo se retourna pour lui demander quelques éclaircissements sur les règles de cet amusement. Mais Ari venait de s'endormir subitement, en suçant son pouce : c'était l'heure de sa sieste! Cet énorme gamin cruel avait rejoint ses songes. Lové sur un kangourou empaillé, il s'offrait une ronflette. Le retour de Dafna bouleversait Hippolyte. Enfin il allait retrouver sa partenaire de jeux, cette délurée qui lui avait fait oublier les femmes culottées trop sages. Mais dans quelle situation dramatique Dafna s'était-elle fourrée?

4

Hippo retourna à Coloriage le soir même. Son pas saccadé était celui d'un robot mal réglé. Pour satisfaire Ari, il avait accepté de devenir son automate en viande.

– Personne, lui lança Ari goguenard, fais craquer tes petits doigts, car tu vas peut-être étrangler celle que tu aimes !

– Mais quel crime a-t-elle commis ?

– L'affaire est grave, tu vas voir... À moins qu'elle ne soit brûlée comme une possédée...

– Possédée par quoi ?

– Par des pensées culottées, pardi ! s'exclama-t-il en s'éloignant.

Hippo regarda Ari se diriger vers le tribunal où l'attendait Cornélius, à jamais persuadé que son maître avait toujours raison. Ari avait fière allure dans le costume de mousquetaire botté qu'il s'était peint avec minutie sur le corps. Une plume d'autruche lui tenait lieu de chapeau.

Sans doute avait-il trouvé le modèle dans un manuel d'histoire qui n'avait pas brûlé avec l'école.

En se baladant seul d'un pas mécanique, Hippo nota la conduite étrange des Coloriés à l'égard de leurs compatriotes peints en blanc : ils les ignoraient, comme s'ils avaient été transparents. Mais Hippolyte ne cherchait que Dafna. Depuis sa dénonciation par les infâmes Rapporteurs, avait-elle été arrêtée ? Ou lui avait-on laissé la liberté de s'amuser avec les autres ? Hippo avait beau fureter, il ne l'apercevait nulle part.

La beauté de Dafna lui sauta aux yeux lorsqu'il pénétra dans l'église transformée en tribunal. Elle se tenait debout près du chœur, face à un Jésus en croix aux traits poupins et à la mine coquine. Le nationalisme enfant des Coloriés les avait conduits à reconsidérer la nature du Christ qui, dans leur esprit, ne pouvait être qu'un petit filou malicieux. Les fresques témoignaient de leur volonté de rectifier la totalité des Évangiles : les tableaux du chemin de croix avaient été crayonnés pour que les héros aient des bobines et des gestes moins adultes. Sur les murs, les apôtres jouaient à chat, à colin-maillard, à saute-mouton. Aux côtés de Dafna, Hippo distingua un petit morceau de blonde dont le dos lui était familier. Elle se retourna et il reconnut… la frimousse de Lulu, sa fille ! Affolé, le père crut défaillir.

En chaire, Ari prononça alors une sentence sévère à l'encontre d'Hector qui avait eu l'audace de flanquer une fessée à son gamin de deux ans. Rêveur cruel, Ari ne plaisantait pas : les Coloriés avaient désormais l'interdiction de participer aux jeux de ce papa jugé coupable. Le grand Hector se mordit la lèvre inférieure jusqu'au premier sang, puis sa poitrine fut ravagée par d'affreux sanglots tant la peine qui le frappait lui paraissait barbare. Imaginez donc : pendant quinze dodos – soit l'équivalent de plusieurs années pour un Culotté –, plus personne ne consentirait à jouer avec lui ! Cornélius en soupirait d'aise. Brisé, le pauvre Hector se retira en cherchant en vain des regards secourables, une main amie. Mais il ne rencontra qu'un mur gelé de regards durs. La décision d'Ari qui l'accablait était sans recours.

Alors Dafna s'avança dans le chœur de l'église en tenant Lulu par la main. Inquiet à son tour, Hippo tendit l'oreille. Ari prit alors la parole avec un tremblement de colère dans la gorge :

– Dafna, reconnais-tu avoir nourri trois fois la petite Lulu qui n'a pas huit Noëls ? C'est ce que m'ont cafté les Rapporteurs…

– Oui, fit-elle. Tes Rapporteurs sont exacts.

– Tu n'ignores pas qu'il est interdit chez nous d'infantiliser les minots de plus de trois ans en leur donnant à manger ? Es-tu consciente de la gravité des faits qui te sont reprochés ? Sais-tu que par ce geste tu as failli t'engager sur un toboggan périlleux, une gaffe qui aurait sans doute fait de Lulu une enfant d'adulte, une impuissante incapable de satisfaire ses propres envies ?

– Oui, je le sais…

– Pourquoi as-tu commis ce délit qui n'est pas une simple faute mais bien une crimerie affreuse contre l'enfance ? hurla Ari déchaîné.

– Pourquoi te colères-tu ? demanda Dafna.

– Parce que si nous nous adaptons même un chouïa à la civilisation adultienne en singeant les pratiques des Culottés, notre enfance va bientôt nous quitter ! Le but même de la société adulte est de nous faire quitter notre culture. Ces coquins arrogants voudraient nous coloniser et nous assimiler !

En gardien énergique des idées (et de l'orgueil) des Coloriés, Ari savait exploiter la plus petite faute pour rendre les Coloriés fiers de demeurer des non-adultes. Mais cette fois, le mécanisme se bloqua, car Dafna se rebiffa ouvertement :

– Je suis savante de tout cela, Ari. Mais Lulu n'est pas encore une vraie Coloriée. Elle a voulu venir ici contre l'avis de sa mère, une Culottée de la pire espèce qui pense savoir mieux qu'elle ce qu'est bon pour sa fille ! Je n'ai pas permisé cet abusement d'autorité ! Je l'ai ramenée chez nous, dans notre pays où les enfants sont libres ! Mais les adultes l'ont chiardisée, enfantisée, comme ils font toujours pour dominer les petits. Lulu croit même qu'elle ne sait pas se nourrir seule. Avais-je le droit d'appliquer nos lois, de laisser tomber une sœur ? Alors qu'elle souhaite se colorier tout à fait ? Car enfin, Lulu a tout risqué pour échapper à la tyrannie des grandes personnes ! Les enfants d'Europe, d'Asie et d'Amérique sont nos frères ! Nous n'avons pas le droit de les abandonner ! Notre devoir est de les délivrer, de les déséduquer !

Toute l'église vibra à ces mots et répondit par des applaudissements qui eurent le don de colérer Ari et de faire blêmir Cornélius. Pour la première fois depuis long-temps, son maître se trouvait contesté, dépassé dans son rôle d'avocat de la révolte des Coloriés. Dafna se levait pour remettre en question le dogme de leur isolement. Et le coup venait de celle qui, sans contrôle, s'amusait à bali-verner aux Coloriés l'histoire de leur vie dans l'unique

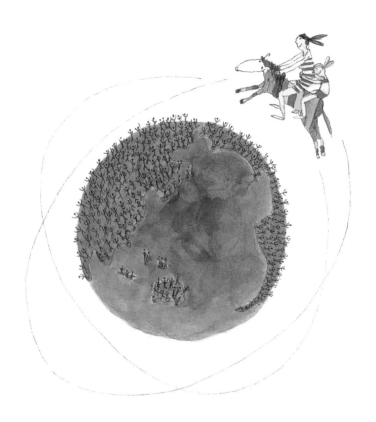

journal de l'île! Résolu à ne pas se laisser doubler, Ari eut alors l'astuce de reprendre en main la foule en déclarant :

– Notre sœur Dafna a raison. Mais parce qu'elle a vu juste nous devons vigilanter encore plus notre conduite! Si la Délivrance devient le foyer de la révolte des enfants du monde entier, nous ne pouvons plus tolérer le plus petit écart sur notre sol. Je déclare donc Dafna libre, mais je suis prêt à disputer tous les fautifs! On le doit à tous les enfants de la terre qui subissent encore les désirs insolents de leurs parents!

Les Coloriés saluèrent avec chaleur l'intervention d'Ari. Cette bande de gamins séditieux entendait délivrer un jour les mineurs du monde entier de la tutelle adulte! Émue, Dafna réclama à nouveau le silence et l'obtint.

– Mes chers Coloriés, lança Dafna d'une voix trem-
blante, j'ai appris en Europe deux choses que vous devez
savoir : une surprise et une affreuserie.

– C'est quoi la surprise ? demanda Ari avec gourmandise (il adorait être étonné).

– En fait, c'est une très mauvaise surprise : Casimir est
toujours vivant ! Il n'a jamais été fou, il nous a bernés. Ce
filou a même réussi à devenir chef chez les Culottés.
Même que c'est lui le chef de toutes les écoles qui adulti-
sent de force les minots de France ! Casimir esclavagise
les élèves, grands et petits, en faisant croire à tous les
parents que c'est pour leur bien, ce qui est sacrément
vicieux, hein ! Les profs culottés lui obéissent. Ils notent
les enfants en refusant qu'on les juge, eux, obligent les
petits à apprendre par cœur des récitations, les empê-
chent d'écrire en rébus et prennent les élèves pour des
moins que rien qui ne savent rien !

La foule coloriée demeura muette, saisie par ce coup
de théâtre extraordinaire.

– Et l'affreuserie, c'est quoi ? demanda Ari sonné par
la nouvelle.

Dafna poursuivit :

– Vous savez qu'il y a plein de dodos, nos parents ne
sont jamais revenus. C'était avant que tu tues Claque-
Mâchoire, Ari... Eh ben, nos parents, ils ont pas disparu
parce qu'on était des mauvais enfants, pour ne plus nous
voir ! C'est pas de notre faute ! En vérité ils se sont noyés.
C'est le grand bateau qu'a coulé...

Une émotion vive saisit l'assistance, fit frissonner les
ribambelles de Coloriés qui cessèrent aussitôt de se
dandiner sur les bancs de l'église, de jacasser et de trépi-

gner en se curant le nez. Certains commencèrent à faire des moues désespérées, à laisser leurs yeux se gonfler de larmes. On frôla le chagrin historique.

– Sûr que c'est pas une belle histoire, reprit Ari à la volée, mais l'affreuserie véritable, ç'aurait été que les parents en réchappent ! Imaginez qu'ils soient revenus un jour pour interdire nos jeux, pour nous punir de nos défauts rigolos qu'on aime tant, pour nous persuader que c'est pas juste d'être un Colorié plutôt qu'un Culotté. Imaginez qu'ils nous aient obligés à faire des choses utiles, à cacher nos vraies émotions, à nous gaver d'habitudes ! Alors moi je dis merci au bateau qu'a coulé par chance ! Et je préfère encore que Casimir ait réussi son coup chez les Culottés qu'ici ! Nous, on est des enfants libres !

La foule applaudit longuement. Puis, remuée par un vif sentiment patriotique, elle entonna spontanément l'hymne local, le vieux chant révolutionnaire des Coloriés qui stimula les morveux désorientés et réchauffa les jeunes cœurs :

Aux armes Coloriés !
Formez vos bataillons !
Colorions, colorions.
Qu'un sang d'Culotté
Abreuve nos sillons…

On s'époumonait avec ferveur sur les bancs de bois, comme pour s'assurer qu'on avait eu raison autrefois de se convertir à l'enfance, d'embrasser la cause d'Ari. Porté par ce tumulte exubérant et le tintamarre nationaliste,

Hippo s'avança jusqu'à sa fille, un instant abandonnée par Dafna.

– Papa ! lança Lulu en se lovant contre lui.

– Non, ma chérie, il n'y a plus de papas et d'enfants ici…, murmura Hippo. On est tous égaux. Rassure-toi, je t'apporterai tous les jours de la nourriture… Tu ne souffriras de rien. Mais… maman t'a laissée partir ?

– Non, je me suis enfuie avec Dafna. Maman a dit non bien sûr. Mais Dafna m'a répété que même les mamans n'ont pas le droit de décider à la place de leur fille ce qui est bon pour elle. C'est pas juste !

– Comment as-tu fait pour me rejoindre ici ?

– Avec Dafna, on a joué à voyager en douce sur un bateau… Un voyage cache-cache. C'était drôle.

– Tu n'as pas eu peur ?

– Non… pourquoi tu veux toujours que j'aie peur ?

– Où dors-tu mon amour ?

– Dans le lit superposé de Dafna.

– Tu ne manques de rien ?

– Non, fit-elle tranquillement. J'ai un cormoran. Arrête de t'inquiéter comme un papa culotté. Mais toi… en quoi t'es déguisé ? s'étonna Lulu, les yeux écarquillés.

– En jouet… Pour la première fois, je m'amuse avec moi !

– Enfin ! lança Dafna en s'approchant. C'est pas trop tôt…

– Bon, je vous laisse, moi aussi je vais zouaver ! déclara Lulu en filant.

– Tu veux bien être mon jouet ? lui demanda Dafna.

– Quelle sorte de jouet ? répondit Hippo troublé.

– Une marionnette sans fil qui saurait me faire descendre des arbres...

– Je veux bien que tu t'amuses avec moi, répliqua Hippo en reprenant sa voix de robot (juste pour rire).

– Pour commencer, t'as qu'à mimer un baiser en te penchant vers moi...

– Je...

– Chut! fit Dafna. Un jouet, ça ne dit pas *je*. Obéis : embrasse-moi!

Hippo s'exécuta docilement, le cœur battant. La condition de marionnette viandée a parfois du bon! Pour conquérir Dafna, il suffisait de désérieuser l'amour... pour mieux en plaisanter.

– Dafna, acceptes-tu de devenir celle qui me dira tous les matins on dirait qu'on serait? demanda alors Hippo, prêt à jouer avec elle au mariage.

– Oui, mais... aimes-tu les enfants? fit-elle en rougissant à la manière d'une grande timide.

– Oui.

– Alors viens m'en faire un... si t'arrives à m'attraper! lança-t-elle en souriant.

Dafna s'enfuit sur la place et escalada un arbre reculé en emportant une lampe à pétrole. Hippolyte s'élança à la poursuite de sa silhouette et parvint à la rejoindre dans le creux d'un banian, leur premier lit. Elle l'embrassa et le reste s'effaça. Hippo fit mine d'éteindre la lumière, trop éblouissante à son goût. La main de Dafna arrêta alors celle d'Hippolyte et poussa la flamme de la lampe à son maximum.

– J'ai peur du noir..., souffla-t-elle.

Leur câlin eut le charme léger d'une partie de cache-

cache dans un arbre. Même leurs caresses furent un jeu dont ils se régalèrent. Quand Dafna eut assez fait joujou avec Hippolyte, elle lui tendit un petit pot de peinture et chuchota :

– Dessine-moi un bébé sur le ventre.

Dérouté, Hippo trempa un doigt dans la peinture et découvrit… qu'il savait dessiner ! Dans cette île, ses facultés s'épanouissaient. Toute sa nature sauvage se remettait à croître, à dire non aux limites que l'éducation adultienne avait logées dans son esprit. Le bébé qu'il fit à Dafna était sans doute le plus beau dessin – et peut-être le plus sensible – qu'il eût jamais tracé.

À cet instant, Hippolyte crut le bonheur à sa portée. Il se sentait le cœur à aimer cette fille authentique et friande de récréations. Pour Dafna, vivre n'était pas une somme de problèmes à résoudre, seulement l'opportunité d'être heureuse. Hippo aimait ses enthousiasmes énormes, ses qualités mal dégrossies et l'éclat de ses jolis défauts. Même déguisé en jouet, Personne commençait à préférer son métier de trublion spontané à celui d'ethnologue méthodique.

– Bon, dit Dafna en bâillant. Maintenant on va faire dodo, parce qu'aujourd'hui j'ai pas fait de sieste…

Fou d'amour, Hippo laissa Dafna prendre son pouce gauche et le suçoter comme un doudou en se pelotonnant contre lui. Collé à cette siesteuse avide de tout, il était le plus heureux des adultes.

Mais l'enchantement de cette nuit d'amoureux ne dura pas.

5

Le lendemain matin, Lulu tomba affreusement malade. Son cormoran lui avait rapporté du poisson frais mais, brûlante de fièvre, elle ne voulut pas toucher aux filets qu'Hippolyte lui cuisina. Les singes chahuteurs lui offrirent également des fruits qu'elle négligea. Une infection la détraquait sans que les remèdes des Coloriés aient sur elle le moindre effet. On essaya des lectures d'histoires réputées efficaces pour soigner, des séances de pleurs pour la purger de ses émotions nocives. Puis on tenta de prolonger des éclats de rire jusqu'à l'étourdissement. Toutes ces méthodes étaient supposées requinquer les Coloriés. Hélas, rien ne calma la mauvaise fièvre qui épuisait Lulu.

Une semaine auparavant, Ari avait donné à Dafna l'ordre de virer Lulu de chez elle, au motif qu'elle était bien assez grande pour construire sa propre cabane. L'allure de gorille d'Ari suffisait pour obtenir de tous une obéissance immédiate. Toutefois, devant l'état de Lulu, le chef des Coloriés accepta de repousser l'exécution de sa

décision. Lulu gisait donc toujours dans le lit superposé de Dafna.

Le petit Harold leur rendit visite et formula un diagnostic en imitant la voix d'Hippo :

– Elle va mourir la crâneuse.

– Pourquoi tu dis ça ? répliqua Dafna.

– Parce que c'est une super crâneuse. Elle frime en bobardant qu'en Europe elle a deux parents pour elle toute seule qui s'occupent d'elle !

– C'est vrai, avoua Hippo. D'ailleurs je suis son père. Et arrête d'imiter ma voix, s'il te plaît.

– T'es pas un jouet ? demanda Harold en postillonnant, blême d'effroi.

– Si…, répondit Hippo agacé. Mais je suis également son père, et je n'ai pas l'intention de laisser ma petite Lulu dans cet état-là !

– T'es un père pour de vrai ? reprit Harold effrayé.

– Oui.

Sans demander son reste, le minuscule Harold décampa en poussant des cris comme s'il avait vu un loup-garou. Dafna posa alors le même verdict :

– C'est dommage. Lulu pourrit, donc elle va crever comme un vieux poisson.

– Dafna, murmura la petite malade qui délirait, je veux bien mourir mais je ne veux pas pourrir comme un…

– Je vais te sortir de là mon amour, chuchota Hippo bouleversé.

– Lulu, elle est pour toujours dans mon cœur, soupira Dafna. Après sa mort, j'vais pas l'oublier.

– Arrête d'en parler comme ça ! s'énerva Hippolyte.

– On va pleurer beaucoup beaucoup, des très grosses

larmes, et ensuite on dansera sur sa tombe pour la distractionner, conclut Dafna.

– Mais tais-toi, bon Dieu !

Dafna avait l'air de considérer la mort de Lulu comme s'ils avaient évoqué celle d'un hamster ! Elle ne voyait pas dans cette issue fâcheuse une catastrophe, ni pourquoi Hippolyte en faisait tout un plat.

– T'agace pas, lui souffla Dafna. Si elle meurt, on va lui écrire des lettres et les poser sur sa tombe. Je peux en creuser une à côté de celle de mon premier singe.

– Elle ne sait pas bien lire…, répondit Hippo dérouté par la pensée magique de Dafna.

– On n'a qu'à les écrire en rébus.

– Elle ne mourra pas ! tonna le père, en serrant les dents. Et elle ne sera pas enterrée à côté d'un singe !

Résolu à sauver la peau de sa petite Lulu – intransportable – Hippo s'enfuit de Coloriage, sauta dans une barque de pêche et fit aussitôt voile vers Pitcairn où résidait un médecin culotté : Tom Christian, le maire de l'île. Huit heures plus tard, Hippo le ramenait clandestinement sur la Délivrance, à l'insu des Rapporteurs. Soucieux de ne pas se faire pincer par la milice d'Ari, Tom Christian sortit un petit pot métallique et ordonna à Hippo :

– Barbouillez-moi de peinture blanche, *sir*. Puis vous ferez de même.

- Pardon ?

– Exécutez ce que je vous dis. N'avez-vous jamais vu de Colorié peint en blanc ?

– Si, mais…

– Ils se blanchissent pour jouer à être invisibles. Ne craignez rien, c'est de la peinture à l'eau.

Un quart d'heure plus tard, ils pénétrèrent complète-ment blanchis dans la vallée des Coloriés. Un godelureau à cheval sur un bâton les croisa en trottinant. Il feignit de ne pas les voir, continua d'émettre un *piticlop* régulier, fit hennir sa monture imaginaire et décampa.

– On dirait qu'on serait invisibles…, lança Tom, avec un petit rire angoissé.

– Alors nous le sommes effectivement ! lui répliqua Hippo avec conviction. Vous ne croyez pas aux histoires ?

– Si… quand elles se terminent bien.

En ville, il y avait des éclats de rire et de l'agitation. Les Rapporteurs d'Ari venaient de bricoler une sorte de manège sans moteur avec des zèbres peints à la place des chevaux de bois. Ari savait que, pour assurer son prestige, il lui fallait de temps à autre procurer à son petit peuple des jeux neufs.

Des Coloriés de tous âges aux bouilles illuminées et une ribambelle de chimpanzés avaient pris d'assaut l'attraction qui resplendissait de toutes ses bougies. Les zèbres dérayés galopaient autour de l'axe central immobile. Ari, à cheval sur sa monture multicolore, contemplait avec admiration son manège rutilant. Autour de lui rôdaient quelques Rapporteurs dont la trogne paraissait soupçonneuse.

– Ça passe ou ça casse…, murmura Tom en essayant de garder son sang-froid.

– On dirait qu'on aurait de la chance…, lui répondit Hippo.

– Vous croyez? ironisa le médecin pitcairnien.

Ils étaient déjà engagés dans la rue principale lorsqu'un orage creva le ciel. La pluie vigoureuse se mit brusquement à fouetter leurs épaules. Les Coloriés disparurent alors sous les auvents des maisons pour protéger leurs costumes peints de la pluie, tandis que les braillards du manège s'abritaient vaille que vaille sous le toit multicolore. Stoïques, Tom et Hippo poursuivirent leur trajet dans la bourrasque. Ils étaient désormais seuls au milieu de la rue, observés par les Coloriés. À chaque pas, ils perdaient un peu plus de leur peinture blanche, diluée par le déluge. En les frictionnant, les gouttes épaisses arrachaient la couleur blanche qui les protégeait. Quand ils arrivèrent sur la place centrale déserte, ils étaient presque entièrement visibles.

– Que faisons-nous, monsieur l'ethnologue? lui demanda Tom inquiet.

– Notre devoir, docteur Christian… Suivez-moi.

Ari et ses lugubres Rapporteurs les fixaient silencieusement. Jamais Hippo n'avait vu sur le visage d'Ari une telle haine. Il fourbissait déjà des sentences tranchantes, préparait de noires condamnations. Cornélius, lui, se pourléchait de la violence qu'il allait pouvoir manifester devant une faute aussi grave. L'humble Personne, indigène de second rang, avait osé enfreindre la loi fondatrice de l'île : il avait introduit un Culotté dans la ville même de Coloriage ! Sans mot dire, Hippo s'engouffra avec Tom Christian à l'intérieur de la maison de Dafna.

Lulu vivait encore.

Tom ouvrit aussitôt sa mallette frappée d'une croix rouge, sortit un stéthoscope et commença à frictionner Lulu qui flottait dans un demi-coma. Ses yeux dilatés, perdus dans de profondes cernes, papillotèrent.

– On joue au docteur ? balbutia-t-elle.

– Oui, ma chérie, c'est un jeu. On dirait que tu serais malade et qu'on jouerait au docteur…

Pour tranquilliser Lulu, Hippo se mit à parler avec Tom sur un ton amusant, comme s'il avait été un gamin déguisé en médecin. Saisissant le sens de l'attitude d'Hippo, le Pitcairnien lui répondit sur le même ton. Ils jouèrent ainsi à soigner Lulu qui, dans un état physique terrible, déclinait à vue d'œil.

– Qu'est-ce qu'elle a notre grande malade ? demanda Hippo au bord de la panique.

– Une infection généralisée, lâcha Tom en se contraignant à sourire.

– Oulala ! s'exclama Hippo afin de ne pas défaillir. Est-ce qu'elle aura droit à une piqûre ?

Tom se hâta de la soigner. Le pouls de Lulu ralentissait encore. Mais elle tenait à participer, même du bout des lèvres, au jeu du docteur qui retenait son attention faiblarde.

Soudain, la voix furieuse d'Ari retentit dans la rue :

– Personne ! Sors de là !

– Si t'en es cap ! cria Cornélius, l'infâme subalterne.

Par les volets entrebâillés, Hippo aperçut la foule grimacière des Coloriés qui s'étaient groupés devant la maison de Dafna. Brandissant un sabre de bois, toujours monté sur son zèbre peint, Ari avait pris la tête d'une petite troupe d'enfants colériques, de supporters ébouriffés et morveux. Dieu sait ce que le ressentiment historique de ces mutins à l'égard des adultes pouvait leur faire faire ! Les tout-petits comme les grands portaient des flambeaux, des frondes et des piques. Ce n'était pas exactement des enragés, c'en était une bruyante caricature, carnavalesque mais menaçante. Mais le péril qui guettait son enfant arracha à Hippolyte un acte de courage et d'énergie : il bondit à l'extérieur.

– Quoi ? s'écria-t-il en s'exposant à la marmaille armée.

– Tu n'es pas un jouet, déclara Ari avec dédain. T'es qu'un Culotté !

– Oui, et ma fille est peut-être en train de mourir pour de vrai. Alors je me fous de vos théories, de votre haine absurde des adultes ! Oui, ridicule dans des circonstances pareilles !

– Ta fille…, reprit Ari éberlué.

– C'est qu'un parent ! hurla Harold méprisant. Il me l'a avoué !

La foule eut alors un mouvement instinctif de recul et

de dégoût, tandis qu'un brouhaha guerrier montait de toutes parts. Jamais depuis des lunes et des lunes on n'avait revu à Coloriage un spécimen de cette race détestée.

– Oui, je suis le père de Lulu, et vous me voyez heureux et fier de l'être ! De l'aimer ! De la protéger parce que ma fille est en danger ! Et si vous n'êtes pas capables de comprendre cela, c'est que vous n'êtes qu'une bande de petits monstres qui préfèrent leurs idées à la vie d'une enfant !

L'argument fit mouche. La mauvaise humeur se calma.

Hors de lui, Hippo leur assena que leur terreur du monde extérieur, de tout contact avec les Culottés, était l'œuvre de la peur. Par trouille d'être à nouveau colonisés, ils étaient assez stupides pour mettre leurs jours en danger en refusant la médecine adultienne ! Par peur de se voir tous renvoyés à l'école, ils s'enfermaient dans une ignorance indigne de leurs talents ! Par pétoche d'être soumis à la répression de leurs émotions, ils se condui- saient en barbares ! Par crainte de ne plus s'amuser libre- ment, ils en arrivaient à s'interdire de profiter de ce que les grandes personnes pouvaient leur offrir ! Enfin, par terreur de ne plus avoir le droit d'être déraisonnables, étourdis et folâtres, ils s'enfermaient dans une méfiance qui ne leur ressemblait pas. S'ils conservaient un bout d'idéal, un morceau du grand rêve des révoltés de 1980, ils avaient tous mieux à faire que de bâtir une nation de rancuniers !

– Soyez fiers d'être ce que vous êtes, de vos rêves de gourmands ! lança Hippo convaincu. Le patriotisme colorié, c'est l'amour de l'enfance, pas la haine des

Culottés! La passion du jeu, pas le mépris du travail! Et laissez-moi soigner Lulu avec le docteur Christian. Quand ce sera terminé, il repartira d'ici et vous ferez de moi ce que vous voudrez.

Sur ces mots déclamés avec foi, Hippo retourna dans la maison de Dafna en claquant la porte.

6

Lulu guérit complètement. Tom Christian réussit à rejoindre Pitcairn sans être trop embêté par les Rapporteurs. Il avait assez de cran pour les tenir à distance. Quant à Hippo, il dut comparaître devant le grand tribunal des Coloriés. Son crime n'était pas tant d'avoir transgressé la loi d'Ari – pour préserver une vie d'enfant – que d'être un faux jouet, un vrai Culotté doublé d'un parent authentique, ce qui aggravait énormément son cas.

Le calcul d'Ari était astucieux : en votant la condamnation à mort d'Hippolyte, les Coloriés feraient la preuve qu'ils étaient bien les ennemis des grandes personnes. Ceux qui rejetteraient l'exécution d'Hippo seraient aussitôt accusés d'adultisme rampant, de complicité avec les Culottés. Ceux qui la décideraient seraient unis par le crime, une fois de plus !

Et puis, ce procès était une belle occasion de s'affronter. Dans l'esprit des Coloriés, la chicane, les tracasseries envenimées, tout ce qui était motif à chamaillerie constituait une friandise. Que dis-je, une gâterie, une divine récréation qu'ils n'auraient manquée pour rien au monde ! Quel plaisir pour eux de gifler une victime avec des gros mots, de la mitrailler d'injures !

Cornélius, le teint bistre, jubilait à la barre du tribunal en jouant au yo-yo. Rien qu'à son air, on sentait le maniaque sadique, le cafteur ivre de dénonciation, le gosse déjà tordu. Enfin arrivait pour lui l'heure de démasquer Hippo. En son for intérieur, Cornélius ne l'avait jamais cru digne d'être un jouet, et la conduite récente de Personne n'avait pas convaincu son esprit soupçonneux. Le discours féroce qu'il prononça – avec délice – témoignait d'un minutieux travail d'enquête :

– Mes Rapporteurs et moi on est cap de prouver que Personne n'a astucé aucune vraie bêtise depuis son arrivée. Chacun ici a pu constater que c'est qu'un raisonnable sans joie qui n'absurdise rien ! Il ne pince personne, zouave peu, ne tire jamais la langue, ne sait pas bruiter ses jeux avec sa bouche, ne s'amuse même pas d'avoir un corps en gigotant ou en sautillant à cloche-pied. Qui l'a vu être sans-gêne pour farcer ? En plus, j'ai ici la preuve qu'il a tenté de nous sérieuser en réintroduisant ici l'écriture adulte !

Triomphant, le petit accusateur exhiba l'un des cahiers d'observation d'Hippo, outil de base de tout ethnologue. Puis, illuminé par un air vicieux, Cornélius l'ouvrit lentement.

– Regardez ! lança-t-il. Pas un rébus ! Tout est écrit en lettres ! Même pas une image !

Comment s'était-il arrangé pour chaparder ce précieux document ? De crainte de s'accabler davantage en le reconnaissant – sans doute Cornélius n'attendait-il que cela –, Hippo resta silencieux. Son accusateur rappela alors que la révolte des Coloriés avait affirmé la supériorité du rébus sur l'écriture classique qui, si elle restait tolérée, devait être regardée comme un reste de l'époque coloniale adultienne. Certes, le journal *Arc-en-ciel* employait encore ces maudites lettres, mais uniquement pour faire état des nouvelles secondaires : le niveau des récoltes de fruits, les événements prévisibles, etc. Les plaisirs inattendus, eux, étaient commentés en rébus et jamais Dafna n'aurait commis la faute de faire composer un gros titre en lettres. Consciente des goûts de son public, elle n'annonçait les grosses surprises, les dangers excitants et tout ce qui brisait la routine qu'en rébus.

– Ce cahier prouve que c'est qu'un espion, affirma Cornélius. Il rapporte toutes nos cachotteries, blablate sur nos secrets, commère nos histoires drôles. Pour le compte des Culottés !

– Ce n'est pas vrai, s'insurgea Hippo. Je suis venu ici pour vous étudier, parce que je vous estime.

– En plus, articula Cornélius avec mépris, Personne ne parle jamais aux bébés.

Un murmure de réprobation indignée se répandit dans la foule.

– Il les ignore, les transparente sans honte, poursuivit-il, et ne leur explique rien, comme si c'étaient des stupides !

L'attaque habile toucha la sensibilité des Coloriés. Or il était exact que, depuis son arrivée, Hippo n'avait discuté avec aucun bébé, ne les avait même pas considérés comme des interlocuteurs valables.

Se sentant soutenu, Cornélius se déchaîna :

– Voyez comment il aime Dafna ! En adulte gris, sans la frivoler. Quelle funambulerie lui a-t-il concoctée depuis leurs retrouvailles ? L'a-t-il fait rigoler ? L'a-t-il gâtée de surprises ? S'est-il seulement masqué pour déguiser leur rencontre en une autre première fois ? Non, ce Culotté n'est ni Personne ni Pinocchio ni un jouet. Il croit au passé et au futur, ces deux menteries d'adultiens. Il ne sait pas profiter. Même qu'il sérieuse tout ! Il étrangle ses émotions sans rougir ! Chose pire encore, il s'inquiète des besoins de Lulu, se colère quand elle lui désobéit, essaye de persuader sa fille qu'elle a besoin de lui ! Et comme si ça ne suffisait pas, le traître fait venir d'autres Culottés, des renégats qui lui ressemblent…

– Un seul autre, objecta Hippo, un médecin !

– Regardez, clama Cornélius, en bon adulte il essaye d'avoir toujours raison ! Mais vous allez voir, derrière ce Culotté d'autres vont venir ! Pour rouvrir les écoles et ligoter nos envies ! Même qu'ils vont nous empêcher de jouer à la cavalcade !

La défense astucieuse d'Hippo fut de n'en présenter aucune, d'aller à fond dans le sens de Cornélius :

– Permettez-moi d'être le premier Culotté que vous aurez corrigé, assimilé ! s'enthousiasma Hippo. Soyez assez confiants dans votre culture pour admettre qu'elle puisse convertir des adultes, les amener à renoncer à leurs convictions afin de rejoindre les vôtres. Si vous me condamnez, c'est que vous ne croyez pas vraiment en la révolution coloriée ! Si vous me tuez, vous tuerez votre ambition de mener à bien une rébellion mondiale ! Je réclame le droit d'être déséduqué !

– Déséduqué… toi ? reprit Ari perplexe.

– Oui.

– C'est qu'une ruse ! cria Cornélius.

– Non, une envie ! répliqua Hippo. Je voudrais apprendre à ne plus savoir, à détricoter mes réflexes de grand. Je souhaite étudier l'art d'être ignorant, me soigner de mes certitudes, quitter mes habitudes et oublier tout mon passé.

– Pour commencer, reprit Ari, accepterais-tu de ne plus être le père de Lulu ?

– Je préfère être son ami et l'écouter plutôt que de lui transmettre mes angoisses et mes préjugés. J'aime trop Lulu pour lui infliger des parents inquiets. J'ai trop foi en elle pour continuer à la priver de ses forces en la protectionnant. Je jure donc ici de ne plus la parrainer et de jouer toujours avec elle !

Bouleversée de voir un adulte libérer volontairement sa fille de toute tutelle, l'assistance applaudit avec frénésie. Lulu, elle, larmoyait d'émotion. Mais que pleurait-elle au juste ? La confiance authentique que son papa lui témoignait tout à coup ? L'inquiétude d'être livrée à elle-même à l'âge de sept ans ?

– Mais qui va te déséduquer ? demanda Ari.

– Moi, dit Dafna en souriant. Il m'a aidée chez les Culottés. À mon tour de l'aider ici.

– T'es sûre de vouloir t'y coller ? Parce qu'il en tient quand même une couche…

– Oui, mais je l'aime en vrai.

Enchanté par l'authenticité de Dafna, le tribunal applaudit et accepta de lui confier la tâche délicate de purifier Hippo de toute éducation.

– L'accusé est-il aussi amoureux que Dafna ici présente ? demanda Ari qui jouait toujours au président du tribunal.

161

– Oui.

– Alors au nom du petit Jésus je vous déclare unis par les liens du mariage jusqu'à demain matin, déclara-t-il selon la formule en usage à Coloriage.

La foule braillarde entonna un *pom pom pom* en guise de marche nuptiale. Cornélius, furibard, bouillait derrière ses yeux porcins minuscules. Bien que dépourvu de cou, il trouvait encore le moyen de se tasser, tandis que les Coloriés scandaient : «Un baiser! Un baiser!» Hippo ne se fit pas prier plus longtemps. Puis il réclama un peu d'attention et exigea une punition minimale :

– Pour avoir désobéi à la loi coloriée, je souhaite être condamné à vous raconter une histoire chaque jour avant d'aller faire dodo.

– Une histoire! Une histoire! hurla aussitôt la meute de marmots et d'adulenfants.

C'est ainsi qu'Hippo sauva sa peau ce jour-là. Mais comment Dafna allait-elle s'y prendre pour le désadultiser?

7

La déséducation d'Hippo fit de grands progrès dès qu'il se mit à jouailler avec les mots dans *Arc-en-ciel*, le journal local qu'animait Dafna. La plume à la main, il calembourisait pour plaire à sa bien-aimée, patamodelait son nouveau caractère, se récréativait dès qu'il le pouvait en dessinant des rébus, se vacançait en loirant à l'heure de la sieste (les loirs adorent roupiller). Après avoir savouré un baiser de maman au miel, Hippo se doigtsuçait en rêvant de marmailler Dafna qui, il en était certain, serait bientôt enceinte de lui ! Elle lui monopolisait le cœur, on l'aura compris. Cet amusement verbal faisait de leurs parleries quotidiennes une véritable fête. En bricolant les vieux mots des Culottés et en bousculant les noms pour les pervertir en verbes, Hippo établit avec ses nouveaux compatriotes une connivence qui rendait leur joie de jacasser ensemble plus complète.

En un mot, Hippo se coloriait peu à peu.

Mais il ne se convertit véritablement à l'Enfance que lorsqu'il accepta de considérer la mort avec les yeux d'un

Colorié. Dafna avait décidé ce jour-là d'aller enterrer avec sa copine Mina une ancienne poupée qu'elles chérissaient depuis des lunes. Mina et Dafna avaient bricolé un joli petit cercueil aux dimensions de la poupée de chiffon. Puis elles avaient préparé une étrange cérémonie en se peignant des squelettes sur le corps. Dans leur esprit, les poupées étaient les enfants des enfants ; il fallait donc s'en occuper avec le plus grand soin.

    – C'est un peu macabre comme jeu, non ? fit observer Hippo.

    – Pourquoi ? s'étonna Dafna. On a le droit de jouer avec la mort. Elle n'a jamais tué personne !

    – Qui ?

    – La mort, pardi !

    – Vous jouez avec… la mort ? reprit Hippo choqué.

    – Oui ! On peut même danser avec elle. Chez nous, la mort n'est pas en deuil comme chez toi. Les enterrés doivent être distractionnés, alors on leur organise des fêtes !

Hippo consentit à se faire peindre un squelette sur la peau et dansa ce soir-là avec de faux spectres afin de célébrer le décès de la poupée de Dafna. Alors, brutalement, tandis qu'il dansait avec la mort, Hippo entra dans la vision joyeuse des Coloriés. Il comprit que ceux qui ont fini de s'amuser sur terre se baladent dans le monde des histoires. Il suffit de parler d'eux avec affection pour les ressusciter. La mort coloriée n'était pas endeuillée par l'idée désagréable de la disparition définitive. Elle n'était qu'une autre façon de continuer à jouer.

Hippo se désadultisait à vue d'œil. Mais la question de son avenir devenait chaque jour plus épineuse. Lulu avait résolu de s'établir pour toujours sur la Délivrance. En bon disciple d'Ari, Hippo se fichait désormais de l'opinion de sa mère. Seul lui importait le désir de sa fille affranchie. Mais il avait laissé à Paris son petit Jojo qui lui manquait cruellement. Et puis, Hippo sentait que ce séjour prolongé sur la Délivrance était une expérience dangereuse qui devait connaître une fin. Ne commençait-il pas déjà à oublier l'homme qu'il avait été en Europe ? Serait-il encore réadaptable chez les Culottés ? Hippolyte avait pris

l'habitude d'aborder avec spontanéité les passants à la terrasse des cafés, comme un bambin en interpelle un autre dans un bac à sable. Friand de contacts immédiats, il ne disait plus ni bonjour ni au revoir. Toute courtoisie l'avait quitté. Sa franchise était désormais aussi percutante que celle de Dafna. Hippolyte déclarait avec effronterie ce qu'il ressentait, sanglotait sans la moindre pudeur et ricanait de presque tout. Était-il toujours employable par l'économie culottée? Quelle entreprise adulte accepterait de s'acoquiner avec un loustic tel que lui?

Le 14 juillet de l'an adulte 2004, un événement prévisible brusqua le destin d'Hippolyte... et celui du peuple colorié.

8

Ce matin-là, Hippo devait participer à un match de cavalcade, le sport national des Coloriés. Son penchant pour l'imprudence lui avait valu d'accéder au rang envié de capitaine d'une équipe fameuse de cavalcade, celle des Farciens.

Le match s'annonçait bien. Hippo chevauchait avec fierté une fausse jument qui se réduisait à un bambou orné d'un joli dessin de tête de pur-sang. De bonne humeur, il ne ménageait pas sa peine pour produire des *piticlops* nerveux en faisant claquer sa langue. Altier, Hippo pénétra sur le terrain à cheval sur son bambou, sous les vivats de la foule coloriée qui utilisait ce jour-là des machines à applaudir : des mains en bois animées grâce à des manivelles que le public actionnait avec vigueur. Dans les tribunes officielles trônaient Ari, une escouade de Rapporteurs et la belle Dafna, escortée de Lulu.

Maillet en main, Hippo s'apprêtait à jouer cette partie avec tout le sérieux qu'un déséduqué peut dépenser lorsqu'il pratique un sport. Aucune distance adultienne ne permettait à Hippo de douter qu'il talonnait un cheval réel. Il était en cet instant un authentique Colorié, absorbé par l'action en cours. Un détachement de Rapporteurs accourut soudain. Blêmes de panique, ils foncèrent vers Ari en faisant haleter et hennir leurs échasses. Affolé, le plus petit déclara à la cantonade :

– Les Culottés débarquent !

La foule, croyant à une plaisanterie destinée à battre les Farciens sur leur terrain, se mit à applaudir en scandant :

– Une autre ! Une autre !

Mais le minuscule messager sauta sur place de rage et mit les choses au point avec fermeté :

– On ne dirait pas que les Culottés arriveraient ! Ils arrivent pour de vrai !

– Les Culottés d'Occident, ceux qui se croient tout permis ? demanda Cornélius inquiet du haut de ses échasses.

– Oui, fit le garçonnet excédé.

– Tu peux certificater qu'il ne s'agit pas d'Adulteux déguisés en Culottés ? reprit Hector qui soupçonnait toujours une reprise du mouvement des Adulteux.

– Oui ! explosa le mioche peint en arc-en-ciel. Y a un grand bateau gris avec des canons devant l'île. Il a bondi de derrière l'horizon. Sûr que c'est un navire culotté ! Même que les grands qui en sont sortis portaient des montres…

– Des montres…, murmura-t-on avec horreur.

– … des vêtements bleus tous pareils et des visages cartonnés comme des masques. Et pis, ajouta le messager en sanglotant, ils ont piétiné mon château sur la plage…

Chacun parut choqué par ce saccage qui témoignait d'un scandaleux manque de savoir-vivre. Dans le public, on commença à babiller, à brandir des lance-pierres et des sarbacanes. On s'apprêtait à batailler sportivement pour préserver les jeux de l'île, la non-éducation des Coloriés, bref tout ce qui faisait les délices de leur civilisation de poche. Personne ne semblait prêt à collaborer avec un envahisseur aussi barbare. Ari tendit le bras pour demander le silence et s'adressa à son peuple d'ébouriffés en se grattant, tant il était nerveux :

– Coloriés ! On ne peut pas laisser les Culottés se croire tout permis ! Nous envoyer au lit le soir quand ça leur chante ! Nous permissionner de jouer ou pas ! Nous engalérer à l'école alors qu'on est innocents ! Nous parentiser avec bonne conscience ! Nous sommes les libres enfants de la Délivrance ! cria-t-il à toute force en levant le poing.

La clameur caquetante qui s'éleva de partout ne laissait aucun doute : les Coloriés de tous âges étaient disposés à se faire tuer – et donc à basculer dans le pays des histoires – plutôt que d'accepter le retour du colonialisme culotté. Jamais cette marmaille indisciplinée ne consentirait à grandir, à adopter les certitudes des grandes personnes. D'autant plus que ces insoumis entendaient libérer tôt ou tard les enfants du monde entier !

– Coloriés ! lança à nouveau Ari. Déguisons-nous en Indiens sur le sentier de la guerre ! Peinturlurez-vous des armures de chevalier sur le corps et armez vos frondes, vos fusils de bois et vos lassos !

– Non ! hurla soudain Hippo, en faisant ruer son destrier imaginaire que cette atmosphère rendait nerveux.

Les révoltés se calmèrent un instant.

– Faire la guerre aux Culottés n'est pas un jeu ! poursuivit Hippo. L'histoire se terminera mal.

Quelques sifflements indignés accompagnèrent son emploi illicite du futur, mais l'argument de *la fin de l'histoire* toucha ces fanatiques de récits qui se terminent bien. D'une voix ferme, Hippo déclara alors :

– Il n'y a qu'une solution pour qu'ils repartent sans découvrir votre vallée : leur donner ce qu'ils veulent.

– Et que veulent-ils avec leurs canons ? demanda Ari.

– Moi, répondit Hippo solennellement en tapant avec son maillet sur le sol.

Frappée au cœur, Dafna redressa la tête. Ses lèvres se mirent à trembloter. Toute sa figure désemparée donnait l'heure juste sur l'état de ses sentiments.

– Toi ? murmura-t-elle.

– Il y a plein de dodos, j'ai demandé à ce maudit

bateau militaire de venir me chercher. Les soldats culottés ne repartiront pas tant qu'ils ne m'auront pas récupéré. Et s'ils me cherchent, ils vous trouveront…

Au loin, un coup de canon retentit. Tous les chevaux imaginaires des équipes de cavalcade tressaillirent. Le *Triomphant* signalait à Hippolyte sa présence, le rappelait à ses origines adultes. Ainsi fut sonnée la fin de son année de récréation. Tétanisés par la lugubre détonation, les Coloriés s'empressèrent d'accepter la suggestion d'Hippo.

– Et si on se racontait qu'on serait tout de même les plus forts ? hasarda Ari en rebelle tenace.

– Même si on disait ça, on perdrait. Crois-moi, lui répliqua Hippo en descendant du bâton qui lui tenait lieu de monture.

– Remarque, fit Ari ému, même si je t'affectionne fort, je suis content que tu t'escapates, parce que parfois je te jalouse. Hippo, je t'aimedéteste à la folie d'être préféré par Dafna.

Bien qu'il fût l'heure de la sieste, la nation enfantine tout entière reconduisit Hippo jusqu'au théâtre où, l'âme en peine, il se débarbouilla le corps et le visage. Au vestiaire, il reprit ses habits de grande personne avec émotion. Depuis son arrivée, il s'était tellement éloigné de cette panoplie d'intellectuel ! Dafna se fraya alors un passage parmi les costumes de scène. Elle était jolie comme une amoureuse de conte.

– Viens avec moi, l'implora Hippo.

– Je suis soumise à ma liberté, répondit-elle en pleurant.

– Je te ferai une cabane en France.

– C'est trop dur de survivoter là-bas…

– Et toi Lulu, que souhaites-tu faire ?

– Jamais je ne retournerai sur des bancs d'école, sanglota-t-elle. Je suis une enfant libre de Coloriage !

– Bien…, fit son père la gorge serrée en respectant la décision de sa gamine de huit ans.

On mesure combien Hippo s'était dégagé de ses convictions d'autrefois. La parole de sa fille valait désormais la sienne ou celle de sa mère.

– Si tu souhaites revenir jouer ici avec moi, je t'attends, lui souffla Dafna au creux de l'oreille.

Amoureuse, elle l'embrassa sur les lèvres et fila dans les branches d'un arbre. Ce furent leurs derniers mots.

Sur la plage, Hippo rejoignit les soldats qui le cherchaient. Le commandant Kerflorec était à la tête de sa compagnie tirée à quatre épingles. Habillé de blanc, l'officier jeta un regard réprobateur sur la tignasse d'Hippo et son allure débraillée. Puis il lui demanda :

– Monsieur Le Play, je présume ?

– Oui.

– Je regrette que, malgré l'isolement, vous ne soyez pas resté plus… français dans votre apparence. Mais au risque de brusquer vos adieux avec cette île, je vous annonce que nous appareillons dès ce soir, à l'issue des festivités.

– Quelles festivités ?

– Nous sommes le 14 juillet, professeur. Pour raisons de service, j'ai dû avancer de deux mois votre récupération. Est-ce là tout votre bagage ?

Le commandant désigna du menton le paquetage léger d'Hippo.

– Oui, je n'emporte que mes cahiers d'observation et ma boîte de peinture.

– En ce cas… Je vous saurais gré de prendre place à bord de notre chaloupe. Deslauriers, mon second, vous indiquera vos quartiers, et vous m'obligeriez en vous rasant de près avant de vous présenter au carré des officiers. Le négligé n'est pas dans nos façons…

Le mini-périple en chaloupe pour rejoindre le *Triomphant* grisailleux inquiéta Hippo : les marins maniaient les avirons à la cadence, tels des robots bien huilés. Aucun sentiment ne paraissait traverser leur visage, aussi net que leur uniforme.

– J'ai envie de faire pipi, dit soudain Hippolyte.

En officier stylé, Deslauriers lui adressa un sourire crispé, comme s'il avait mal entendu.

– Vous dites, professeur ?

– J'ai envie de faire pipi, répéta Hippo en prenant soudain conscience du caractère déplacé de ses paroles.

La figure des marins le renseignait assez sur leur malaise. Tous se demandaient s'ils avaient affaire à un simplet ou à un naufragé volontaire que la solitude avait détraqué. La réalité était plus simple : le mécanisme ordinaire de la pudeur s'était enrayé dans le cerveau d'Hippo au contact des Coloriés.

Craignant de froisser l'homme sauvage qu'Hippo était devenu, Deslauriers ordonna à son équipage de ramer un peu plus vite. La chaloupe atteignit rapidement le pont du *Triomphant* sous un ciel assombri. Le temps s'alourdissait. Le commandant en second le conduisit jusqu'à sa cabine et lui déclara d'une voix forte :

– Les festivités commenceront dans trente-cinq minutes !

En automate courtois, le militaire prit congé en claquant des talons.

Seul dans sa cabine, Hippo tomba alors sur un objet provoquant. Fixée au mur, une horloge poussait ses secondes sans état d'âme, fractionnait le temps en portions égales sans tenir compte de la durée des sensations. C'était la première fois depuis presque un an qu'Hippolyte voyait un tel appareil barbare. Spontanément, par réflexe colorié, il bloqua la trotteuse. Mais à peine avait-il retiré son doigt qu'elle poursuivit sa course. Contrarié, Hippo arracha les aiguilles pour entrer en résistance. On frappa trois coups vifs.

– Oui, dit-il.

La porte s'ouvrit.

Un homme sec apparut. Il portait sur un cintre un uniforme repassé qu'il lui tendit.

– Bonjour professeur, les festivités débuteront dans trente minutes.

– Et s'il se met à pleuvoir ?

– Le 14 Juillet, c'est le 14 Juillet. Vu l'état de vos vêtements, je me suis permis de vous dénicher cet uniforme neuf qui conviendra mieux pour la cérémonie, n'est-ce pas ?

– Vous êtes content chez les adultes ? lui demanda soudain Hippo en reniflant son eau de Cologne.

– Excusez-moi, je ne me suis pas présenté : major de Boislieu, médecin-chef à bord.

– Vous êtes médecin...

– En effet.

– ... parce que vous en avez envie aujourd'hui ou parce que vous avez fait autrefois des études de médecine ? lui demanda Hippolyte en le regardant droit dans les yeux.

– Heu…, bredouilla le marin gêné. Pressez-vous, le commandant aime la ponctualité et les tenues impeccables.

L'homme jeta un coup d'œil sur sa montre et ajouta :

– Il vous reste vingt-cinq minutes pour vous préparer, professeur.

Mal à l'aise, le major disparut en lui laissant sur les bras l'uniforme amidonné. Dans sa hâte, il avait oublié son parapluie tout noir. Hippo souleva la veste et la contempla avec dégoût. Ce déguisement triste lui faisait l'effet d'un linceul. Il le déposa aussitôt et ouvrit son cabinet de toilette pour se raser. Le reflet de son visage d'homme surgit alors dans le miroir. Hippo en demeura stupéfait. Depuis plus de dix mois, il s'était rêvé avec une frimousse d'enfant ! Heurté, il se sentit mal. Tout ce qu'il voyait depuis ses retrouvailles avec les Culottés le chagrinait : ses traits réels, des horloges dictatoriales, un ordre du jour obligatoire, des figures sans émotion et, surtout, du passé, toujours du passé ! De Boislieu était médecin parce qu'il avait choisi un destin prévisible vingt-cinq ans auparavant. L'équipage de ce vaisseau s'apprêtait à *fêter* une Révolution française terminée depuis plus de deux cents ans ! C'en était trop.

Dans cet univers sans surprise, Hippo prit sa décision et ouvrit sa boîte de couleurs.

10

Hippolyte parut sur le pont principal du vaisseau, après avoir rédigé une lettre à son fils. Plus de cent marins se trouvaient alignés sous une pluie fine. D'une voix rauque, ils chantaient l'hymne des adultes de France. L'équipage et les officiers ne formaient plus qu'une poitrine, un seul souffle, un regard unique qui fixait le drapeau tricolore humide. Leur façon immobile de faire la fête inspira à Hippo un sentiment de révolte mêlé de fascination. Même pour rire, les Coloriés ne seraient jamais parvenus à un tel effacement de leur caractère! La seule émotion de ces automates paraissait être de n'en éprouver aucune.

Quand *La Marseillaise* fut terminée, le commandant Kerflorec fit pivoter sa tête de quelques degrés et dirigea ses yeux éteints dans la direction d'Hippo. Sa figure blême indiquait qu'il ne comprenait pas pourquoi Hippolyte Le Play se tenait devant lui nu sous un parapluie. Sur son visage, Hippo avait tracé un point d'interrogation rouge. Il s'était entièrement zébré la peau de peintures

vives pour se transformer en un vivant arc-en-ciel. Le
large parapluie oublié par le major préservait de la pluie
la gouache encore fraîche qui lui rayait le corps. À bord
de ce vaisseau gris, Hippo faisait tache.

– Professeur, que signifie cette plaisanterie? lui demanda
Kerflorec qui commençait à bouillir.

– Sauf votre respect commandant, je hisse les couleurs
à ma façon. Que voulez-vous, ça me fait super plaisir de

résister aux grandes personnes ! déclara Hippo avec un sourire triomphant de garnement.

– Super plaisir ? reprit Kerflorec sidéré.

– Oui, super plaisir.

– Êtes-vous devenu fou ? répliqua le médecin-chef.

– Oui, d'Enfance. Et ça ne fait que commencer !

Sur ces mots, Hippo replia le parapluie sombre et le rendit au major. Puis il monta fièrement sur le bastingage, exécuta un salut militaire adressé aux Culottés et plongea dans la mer pour regagner sa nouvelle patrie. Pas un marin ne bougea pour tenter de rattraper Hippo. Sans doute crurent-ils qu'il était effectivement devenu fou et qu'un séjour sur cette île verdoyante valait mieux pour lui qu'un enfermement dans un asile lugubre.

En nageant vers la Délivrance, Hippo laissait derrière lui un sillage de couleurs dans les eaux du Pacifique. Sa trace était une palette. L'amour vécu comme une partie étourdissante l'attendait aux côtés de Dafna. Mais Hippo allait surtout pouvoir aider Ari et ses Coloriés à délivrer les mineurs de la planète de la tyrannie des majeurs. Sa connaissance de l'univers plein de chausse-trapes des grandes personnes leur serait d'un grand secours. À trente-neuf ans, Hippolyte avait choisi son camp : celui de l'Enfance et de la rébellion. La grande aventure de la libération des gamins du monde entier allait enfin débuter !

III
LES COLORIÉS À PARIS

1

Assisté de Lulu et de Dafna, Hippo organisa avec minutie l'entraînement des Coloriés. Pour réussir leur débarquement clandestin à Paris, Ari et les siens devaient être capables de se fondre dans la population. Si les Coloriés infiltrés étaient repérés, toute tentative de renversement du pouvoir adulte risquait fort d'échouer. Casimir et la police adultienne ne laisseraient pas ces rebelles malicieux transformer les écoles publiques en lieux de récréation ni faire du Vieux Continent une vaste salle de jeu.

Les adulenfants de la Délivrance apprirent donc à imiter la conduite des grandes personnes, à porter des vêtements en tissu (récupérés au théâtre), des cravates sombres ou des accessoires rigolos de dame convenable (sac à main, chaussures équipées de talons hauts...). Stratège futé, Ari s'était mis en tête de placer en douce des Coloriés aux postes clefs de la société culottée ! Il entendait disposer ainsi de juges coopératifs, de policiers amis, d'hommes politiques à lui, de journalistes bavards, etc., qui seraient en réalité des agents coloriés dévoués à la cause sacrée des enfants !

Motivés par la noblesse de leur lutte de libération, les adulenfants de l'île s'efforcèrent de marcher en ligne droite tout en s'interdisant de siffloter comme ils en avaient l'habitude. Ils apprirent également les règles du vouvoiement, l'hypocrisie nécessaire pour travailler avec des grandes personnes, l'art de s'ennuyer ferme au boulot ou de flatter ses supérieurs. On forma même quelques agents à la vie de couple adultienne en leur inculquant les réflexes conjugaux de base : faire des reproches à son mari (ou à sa femme), le tromper en cachette, lui offrir des fleurs le jour de la Saint-Valentin, etc. Tous les Coloriés durent renoncer à s'empiffrer avec les doigts. Tatillon, Hippo se montra particulièrement intraitable sur le maniement des fourchettes et des couteaux. On en fabriqua avec des bambous et les apprentis adultes s'escrimèrent pendant des heures à manger avec ces instruments barbares !

– Vous n'avez pas le choix, déclara Hippo. C'est en se servant correctement de ses couverts qu'un Culotté prouve à ses semblables qu'il est éduqué ! À Paris, cette habileté fait partie de ce qui distingue les parents des enfants…

Les jeunes Coloriés étudièrent la conduite polie et réservée des *mineurs* encore soumis au joug de leurs parents. On les vit s'amuser à dire : « Merci madame » ou « Merci monsieur » à tout bout de champ, même quand ils n'en avaient pas du tout envie ! Les petits s'accoutumèrent également à gambader avec de faux cartables sur le dos, vu que le cartable était – d'après Lulu – un accessoire particulièrement recommandé pour passer incognito dans les rues de la capitale. Mais les jeux sages (surtout les jeux de société interminables) de ces enfants domestiqués sidérèrent les petits Coloriés! Comment ces gamins obéissants pouvaient-ils accepter de rester immobiles et quasiment silencieux si longtemps? Sans chenapaner ni turbuler!

L'art de lire l'heure sur une montre réelle (entendez non peinte) exigea des Coloriés une attention et des efforts épuisants. Hippo les rassembla tous un matin sur la plage et dessina sur le sable une horloge géante avec des bambous en guise de grande et de petite aiguilles. Mais personne – en dehors de Dafna et de Lulu – n'avait l'air de comprendre à quoi cela pouvait bien servir de se situer précisément entre le passé et le futur! Pourquoi les Culottés ne profitaient-ils pas de chaque instant au lieu de surveiller avec maniaquerie l'avancée des aiguilles des montres?

– C'est essentiel, expliqua Hippo. Les Culottés ne vivent pas en suivant leur fantaisie. Ils aiment obéir à des programmes quotidiens très précis et répétitifs.

– Ils font tous les jours la même chose? s'étonna Hector.

– Oui, à heure fixe. Les Culottés sont bizarres : ils ont plus d'habitudes que de désirs. Ils croient même qu'il n'est pas possible de vivre autrement en société.

Appliqué, Hippo fit réviser à ses élèves des listes de comportements strictement interdits en compagnie des Culottés. La gaieté exagérée était à bannir, tout comme les concours de pets au travail. Faire des avions avec les billets de banque était également prohibé! Ils n'auraient

185

plus le droit de se donner des rendez-vous pour le goûter, car les adultes respectables ne goûtent pas. Les agents coloriés seraient également obligés de s'asseoir sur des chaises, jamais par terre ou dans les branches des arbres. Se curer le nez devenait un crime impardonnable. De même, chaque Colorié devait bien se souvenir qu'il ne

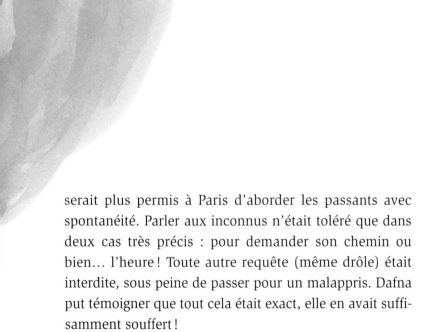

serait plus permis à Paris d'aborder les passants avec
spontanéité. Parler aux inconnus n'était toléré que dans
deux cas très précis : pour demander son chemin ou
bien… l'heure ! Toute autre requête (même drôle) était
interdite, sous peine de passer pour un malappris. Dafna
put témoigner que tout cela était exact, elle en avait suffi-
samment souffert !

– Mais il y a surtout une chose essentielle à retenir,
déclara Hippo un soir autour d'un feu. Vous devez plan-
quer vos émotions. Vous jouerez donc à celui qui ne
ressent rien !

– On n'a plus le droit de pleurer? demanda Mina, une fillette de trente-cinq ans qui n'en revenait pas.

– Non. Sauf dans des cas très précis : au cinoche si le film est émouvant, en cas de décès…

– … d'un poisson?

– Non, pour les décès de poissons on n'a pas le droit de pleurnicher. En Europe, on ne pleure que la mort des êtres humains.

– Mais c'est pas triste la mort! fit remarquer Harold.

– Chez les Culottés si, répliqua Hippo. C'est obligatoirement triste. On est même prié de pleurer à gogo dans les enterrements.

– Même si on n'a pas de chagrin? demanda Ari sidéré.

– Oui, en Europe on a des émotions prévues et répertoriées pour chaque circonstance de la vie. C'est comme ça.

Les Coloriés restèrent médusés qu'il y eût sur terre des peuples assez fous pour réglementer les émotions! Certains Délivrés se demandaient si cela ne pouvait pas être dangereux pour la santé de mimer de faux sentiments. Mais tous étaient bien décidés à faire des efforts afin de secourir leurs frères opprimés, les millions d'enfants asservis qui subissaient encore les désirs de leurs parents tout-puissants, leurs humeurs et parfois même leurs accès de violence.

Avant de lancer sa grande offensive avec ses deux cent quatre-vingt farceurs motivés, Ari vint consulter Hippo une fois encore car il y avait un truc abracadabrant dans la culture adultienne qu'aucun Colorié ne comprenait vraiment, c'était le rôle pas très clair de l'argent.

– À quoi ça sert réellement? insista Ari.

– À tout : à rassurer les inquiets, à se faire respecter, à

se procurer des super jouets, des bonbons, de l'amour, des amis…

– Même des amis ? s'étonna Ari.

– Oui, ça c'est sûr, confirma Hippo. Quand on a des sous, on a plus d'amis.

– Donc tu dis que l'argent, c'est ce qu'il y a de plus important dans la vie d'un Culotté.

– Oui.

– Mais… pourquoi ?

– Parce que les Culottés s'imaginent qu'ils peuvent guérir toutes leurs peurs avec des sous. L'argent, c'est le médicament dont ils croient avoir le plus besoin !

– Alors moi, je dis qu'il suffit de s'attaquer aux sous des adultes pour faire sauter leur monde ! lança Ari. D'abord on s'infiltre partout, ensuite on essaye de convaincre leurs enfants de refuser les cadeaux de Noël et de ne plus rien acheter. Comme leurs gamins sont nombreux à consommer, ça obligera les Culottés à nous écouter ! Il faut qu'on montre aux enfants que c'est plus marrant d'être un joueur qu'un acheteur…

– Les Culottés risquent de réagir très mal, fit observer Hippo. Si tu les empêches de remplir leurs tirelires, ils vont paniquer.

– Mais c'est ce que je souhaite ! s'exclama Ari. C'est ça mon plan !

Hippo réfléchit un instant et donna son avis :

– Je préférerais qu'on ne s'attaque pas aux adultes, qu'on incite juste les enfants à ne plus jouer le jeu des Culottés.

– Quel jeu ?

– Celui de la société sérieuse. On ferait alors une révolution souriante, une révolution d'enfants qui préfèrent simplement leurs envies à celles des grands.

Dubitatif, Ari demanda :

– Toi, tu crois que si on demande poliment aux Culottés de laisser leurs minots tranquilles, ils les laisseront libres de polissonner comme ils le veulent ? De ne pas aller à l'école ?

– Si leurs enfants désirent vraiment une autre vie, les Culottés n'auront pas le choix ! affirma Dafna. C'est à nous de dire aux écoliers qu'une vie coloriée est possible, une vie sans argent et joyeuse.

– Cette stratégie me paraît moins dangereuse, conclut Hippo. Il vaut mieux qu'on ridiculise les adultes, qu'on s'en moque pour que les petits n'aient plus envie de leur ressembler. Et on aidera les enfants à avoir confiance en eux ! On leur montrera qu'ils ne sont pas des adultes en moins bien, qu'ils peuvent même être fiers d'être des gamins !

Ari ne savait plus trop comment mener le peuple colorié à la victoire. Pour affranchir les petits Européens de leur condition infamante de mineurs, il hésitait entre une stratégie rampante et agressive à l'égard des adultes et une tactique non violente, plus rigolote. Les parents abominables qu'Ari avait endurés avant l'âge de dix ans lui avaient laissé une image déplorable des grandes personnes ; aussi était-il tenté d'établir avec les Culottés des rapports de force. Mais il se doutait bien que tous les grands n'étaient pas aussi nuisibles. Il devait bien se trouver à Paris des adultes acceptables qui soutiendraient leur cause !

– Oui, j'en connais un ! se souvint Dafna.

190

– Qui? fit Hippo.

– Tarzoony, le directeur du zoo de Vincennes, répondit-elle. Un ami des enfants. Il ne m'a pas grondée quand je me suis installée dans la cage aux singes, vu que lui aussi il s'entend mieux avec les bêtes qu'avec les humains.

– C'est quoi le zoo de Vincennes? demanda Ari un peu perdu.

– C'est un peu comme ici, avec un grand rocher qui ressemble aux nôtres. Sauf qu'il y a des visiteurs enfermés à l'extérieur des cages, derrière les barreaux. En fait, c'est un endroit organisé pour que les animaux puissent découvrir les humains.

– Bon, en arrivant à Paris on n'aura qu'à aller là-bas et se faire mettre en cage histoire de mater les Culottés en toute sécurité! déclara Ari.

– Ça me paraît finaud, commenta Hippo. Nos Coloriés ne sont pas encore assez entraînés pour infiltrer le monde des Culottés…

– Ça c'est sûr! soupira Lulu en contemplant la rue de Coloriage où grouillaient des garnements bavards. Deux cent quatre-vingt Coloriés qui turbulent dans Paris, ça risque de faire tache!

En effet, ces grands enfants braillards semblaient déguisés en adultes plutôt qu'habillés en dames ou en hommes réellement majeurs! Aucun n'était prêt à se faire passer pour un ministre triste ou pour un juge authentique. Tous conservaient sur le visage un air réjoui et gourmand que l'on ne voit que rarement sur les figures graves des Culottés.

– Comment on va s'y prendre pour aller chez les

adultes d'Europe ? demanda soudain Ari qui, jusqu'à présent, ne s'était pas posé la question épineuse du transport.

Comme tous les Coloriés, Ari était plus intéressé par ses enthousiasmes que par les considérations pratiques de la vie, assez casse-pieds il est vrai. Il savait que quand on veut vraiment, on peut toujours. Ari avait raison, car Dafna (en bonne astucienne) suggéra une solution inattendue, gratuite et incroyablement gonflée pour voyager ! Une solution qui ne nécessitait même pas de construire une machine spéciale !

2

L'excellente idée de Dafna se révéla drôlement efficace. Les Coloriés déboulèrent en France un beau matin, bien décidés à affranchir leurs frères et sœurs. Pour rejoindre Paris, ils remontèrent la Seine à bord de radeaux équipés de voiles. Les seuls animaux qu'ils avaient emmenés avec eux étaient les singes et les cormorans, utiles pour se nourrir.

À mesure qu'ils approchaient de Paris, Hippo était plus inquiet car il se rendait bien compte que les Coloriés seraient des proies vulnérables dans une société adulte. Même Ari, plus calculateur que les autres, était un agneau au regard de certains Culottés impitoyables. Si les Coloriés savaient être cruels, aucun n'était de taille à affronter les coyotes de la capitale.

En pénétrant dans la grande ville infestée d'adultes, guidés par Hippo et Dafna, ils passèrent devant la tour Eiffel et chacun s'accorda pour reconnaître que Gustave Eiffel (le polisson qui avait construit la tour) aurait fait un excellent Colorié. Puis ils remontèrent le fleuve jusqu'à

Vincennes où ils débarquèrent tranquillos. Tous ensemble, ils gagnèrent ensuite le zoo en file indienne.

La vue du grand rocher de béton qui émerge au-dessus du bois réchauffa le cœur des Coloriés qui voyageaient pour la première fois (autrement qu'en imagination). Dafna avait raison : cette montagne artificielle ressemblait bien aux rochers géants de la Délivrance ! Ravis, les Coloriés applaudirent cette apparition féerique. À l'entrée du zoo, Dafna fit demander M. Fontaine. Ce dernier finit par sortir de son bureau, déguisé en directeur honorable. Dafna déclara en lui montrant ses deux cent quatre-vingt compatriotes :

– Tarzoony, voici mon peuple ! Ça, c'est mon secret. On vient habiter chez toi.

– Ici ? fit-il surpris.

– Oui. Il faut que tu nous caches pour qu'on échappe à Casimir.

– À qui ?

– Casimir Chance a eu l'idée malsaine de devenir ministre de l'Éducation…, reprit Hippo. Nous allons vous expliquer…

Il fallut à Tarzoony un certain temps pour comprendre qu'il avait bien devant lui un peuple de galopins et de grands enfants. Il n'en fut d'ailleurs persuadé qu'après la fermeture du zoo. Sitôt le dernier visiteur adulte sorti du parc, les Coloriés se débridèrent. Après des heures de calme volontaire, ils se lâchèrent soudain et coururent ouvrir les cages des bêtes non carnivores ! Hector ôta ses lunettes et bondit à califourchon sur une autruche distinguée tandis que Dafna rejoignait ses amis les gibbons. Ari apprivoisa aussitôt un zèbre qu'il enfourcha avec sérénité, vu qu'il ignorait qu'un zèbre ne se dresse pas. Du coup, l'animal le toléra. Mina, elle, se mit à jouer à saute-mouton avec l'enthousiasme communicatif qui caractérise les Coloriés.

Tarzoony resta sans voix devant la joie enfantine qui se lisait sur toutes les frimousses.

– Mais d'où sortent-ils tous ? murmura-t-il ahuri.

– Dafna vous a dit la vérité, répondit Hippo. Ils viennent de l'Enfance, d'un pays qui résiste depuis un quart de siècle aux idées adultiennes. Vous venez de découvrir le secret des Coloriés…

– Cela semble incroyable !

– Si vous ne les hébergez pas ici, leur grand rêve s'arrêtera bientôt.

– Quel est ce grand rêve ?

– Ils entendent faire sauter la société adulte ! Et délivrer les enfants de ce pays de la tyrannie parentale. Serez-vous des nôtres ?

3

Tarzoony fut ravi de tomber sur des êtres humains aussi chaleureux et joviaux que les mammifères de son zoo. Cette découverte le soulagea, car il en avait assez de fréquenter des grands qui jouaient des rôles sans cœur (de banquier, de policier, etc.) et qui ne se rendaient même pas compte qu'ils jouaient la comédie ! Il accepta volontiers d'accueillir à Vincennes la petite colonie coloriée qui s'installa dans les cages des babouins, dans les parcs à flamants roses, parmi les zèbres et les antilopes ainsi qu'au bord des bassins remplis d'otaries. Les *girls* repérèrent aussitôt des arbres à filles et construisirent des cabanes dans les branches des marronniers des allées.

Convaincu par Ari que le zoo devait faire sécession avec le territoire français, Tarzoony accepta de hisser le drapeau colorié à l'entrée. Cet acte d'indépendance ne troubla aucun Culotté, même si l'on vit flotter à la fenêtre du bureau du directeur un drap blanc sur lequel éclatait un point d'interrogation rouge. Tarzoony consentit également à rebaptiser son établissement « Sans Adultes Park »

197

et à écrire ce nom au-dessus de la grille en rébus. Les enfants seraient ainsi les seuls à pouvoir lire ce panneau.

Pendant la journée, les petits Coloriés s'amusaient avec les bêtes, exécutaient leurs acrobaties habituelles dans les cages, ce qui réjouissait les visiteurs surpris de découvrir de jeunes funambules qui circulaient à la hauteur des girafes ou des gamins hirsutes qui rivalisaient avec les singes dans l'art de grimacer. Les adulenfants coloriés, eux, se déguisèrent en grandes personnes, imitèrent les piétons ordinaires et sortirent discrètement de Sans Adultes Park. La mine grave, ils se mirent à explorer l'univers un peu zinzin des majeurs.

Le premier constat d'Ari l'enthousiasma : Paris regorgeait de pizzas et de frites au ketchup ! Il y avait donc de quoi survivre, même si ce territoire ennemi manquait manifestement d'arbres fruitiers et d'eaux poissonneuses pour nourrir les cormorans. Ari nota avec régal que l'on rencontrait dans les rues de nombreux policiers (habillés de panoplies complètes) très disponibles pour jouer à la poursuite. Il suffisait de leur chaparder un accessoire (képi, pistolet, sifflet, etc.) ou de détaler brusquement sous leur nez pour qu'ils acceptent de bon cœur de vous courir après, gratuitement. Dérober dans les boulangeries de copieux goûters en criant qu'on était un voleur marchait également pour stimuler ces agents musclés, excellents sprinters et toujours disposés à cavaler.

Dafna montra aux Coloriés les multiples possibilités de son jouet favori : le téléphone. Avec cet objet adultesque qui donne un pouvoir illimité au premier venu, ils découvrirent bientôt comment faire livrer à distance des bouquets de roses aux policiers (pour les remercier d'être aussi joueurs), réveiller par surprise des filles inconnues en pleine nuit, commander des pizzas succulentes ou faire bondir des parents hors de leur lit à minuit en leur annonçant qu'il y a le feu dans leur immeuble ! Le plus rigolo aux yeux des Coloriés fut de joindre la présidence de la République française en laissant des messages sous forme de charades ou de devinettes adressées au Président, juste pour rire, ou encore d'appeler plusieurs dizaines de taxis à la fois afin de

provoquer un embouteillage monstre sous les fenêtres du ministre de l'Éducation.

Quelques dizaines de Coloriés, les plus audacieux, poussèrent des portes pour s'infiltrer au cœur de la société adulte. Ils apprirent à singer les grands plus vite que prévu. Hector pénétra dans le palais de justice de Paris, assista à de nombreux procès qui le firent bien rigoler. Puis, un matin, il eut l'audace de piquer un costume de juge. Sans trembler, Hector mima la conduite des magistrats qu'il avait pu observer et se mit à rendre la justice ; ce qui l'amusa follement. Certains Coloriés se firent passer pour des animateurs de radio culottés, ce qui leur permit d'oser quantité de farces. En promettant à des gens très dignes de gagner des lots incroyables (des filles transformées en jouet, des zèbres peints, des voitures gratis, etc.), ils réussissaient à leur faire accomplir des choses parfaitement ridicules : siffloter à l'envers *La Marseillaise*, prononcer en rotant toutes les lettres de l'alphabet, etc. Mina imita la voix posée d'une journaliste célèbre de radio qu'elle avait auparavant bouclée dans une cage libre du zoo de Vincennes. Elle chroniqua bientôt l'actualité sur l'antenne par téléphone, sans que la supercherie fût soupçonnée. Gonflée, Mina donna ainsi avec plaisir son point de vue… coloriesque sur les événements ! On l'entendit traiter la femme du Président de chipie crâneuse et le premier ministre de sale petit copieur… La vérité trouva en Mina un porte-voix, une avocate passionnée.

Le soir, tous les Coloriés infiltrés regagnaient le zoo de Vincennes et laissaient leurs costumes de Culottés dans un grand vestiaire. Ils enfilaient alors de vrais pyjamas.

En peu de temps, on trouva accrochés aux portemanteaux des mitres d'évêque, des toques de chef de cuisine, des képis de généraux, des habits de chefs de gare, des tenues complètes d'académicien ou de chirurgien. Tous les rôles ou presque se trouvaient réunis dans ce vestiaire car les Coloriés étaient attirés par la plupart des fonctions qui permettent de frimer, d'être flatté ou craint. Cependant, ils ôtaient ces fringues chaque soir avec satisfaction car aucun de ces emplois respectables n'était véritablement divertissant, à hurler de rire ou déroutant. Hippolyte leur avait bien dit la vérité : la vie des grands, c'est rien que des habitudes et des actes raisonnables !

Le seul lieu où l'on pouvait se chamailler sans frein comme sur l'île de la Délivrance, déclarer n'importe quoi gaiement, se montrer totalement incohérent, bref se récréationner, c'était l'Assemblée nationale. Là où les Culottés votent leurs lois, en se cachant des enfants pour qu'ils ne les jugent pas. Les Coloriés s'immiscèrent donc dans ce lieu impayable, cette énorme cour de récré.

Certains se déguisèrent en députés, d'autres en journalistes fouineurs, mais tous participèrent aux parties de rigolade collective qui s'improvisaient à chaque session.

Petit à petit, Paris commença à se dérégler. Peut-être l'avez-vous remarqué autour de vous, de fausses grandes personnes firent leur apparition un peu partout ! On vit des adultes estimables dire des choses en public juste pour se faire remarquer, des juges qui prenaient des décisions fantaisistes, des journalistes qui racontaient des bobards en affichant un air grave, des hommes politiques qui déblatéraient des menteries avec passion, des professeurs en blouse blanche qui jouaient au docteur en y croyant pour de vrai, etc. Personne ne se doutait que c'étaient rien que des Coloriés venus s'amuser parmi les Culottés.

Mais les choses ne tardèrent pas à s'aggraver car, sans trop s'en rendre compte, les Coloriés ne jouaient pas du tout le jeu des adultes. Forcément, Ari et ses amis en ignoraient les règles bizarres. C'est ainsi que l'on constata dans Paris un nombre faramineux de mariages, car les filles coloriées insistaient pour se marier plusieurs fois par semaine, sans prendre la peine de divorcer, ce qui reste enquiquinant. Les mairies des arrondissements de Paris leur semblaient de chouettes décors pour se faire baguer dans de jolies robes chapardées dans les magasins. Ces unions festives duraient le temps d'une partie avec un garçon, ce qui dépassait rarement quelques dodos. Parmi les filles coloriées, il n'y avait que Dafna pour éprouver un sentiment durable à l'égard d'Hippolyte. Cette manie d'aimer longtemps le même lui était restée de son long séjour chez les Culottés.

Quand un policier leur demandait poliment leurs papiers d'identité, les Coloriés lui éclataient souvent de rire au nez et lui répétaient mot pour mot ce qu'il venait de dire en imitant sa voix. Plus l'agent insistait, plus ils persévéraient dans ce jeu super énervant mais assez excitant. Personne ne leur avait dit que ça ne se fait pas de se payer la tête des policiers poursuiveurs. Parfois, les Coloriés leur dérobaient leurs sifflets. Munis de cet accessoire et de cartes de police très bien dessinées, ils arrêtaient les voitures au hasard pour se faire conduire où ils le souhaitaient ! En général, ça marchait, vu que les Culottés se croient tous obligés d'obéir aux policiers ! C'est la coutume, chez eux… Ils obéissent même aux feux tricolores quand ils se baladent dans leurs automobiles !

Curieux de tout, les Coloriés avaient découvert à la télévision de Tarzoony un film poilant de Charlot qui se déroulait dans un grand magasin la nuit. Logiques, ils en conclurent que c'était comme ça qu'il fallait se servir des magasins (remplis d'objets jouétisables) : la nuit, quand ils étaient fermés, lorsqu'on pouvait turbuler à l'intérieur sans être dérangé par les clients pas drôles. Ils se peignirent donc en noir et blanc (le film de Charlot était décoloré et privé de son) et déboulèrent par effraction dans un magasin géant du centre de la capitale. Entre eux, les Coloriés firent des razzias de pyjamas en mimant leurs propos, puis ils allèrent roupiller dans les lits moelleux d'exposition, avec les peluches qu'ils avaient piquées au rayon des jouets.

Bonne copine, Dafna avertit les Coloriés qu'on pouvait voir tous les soirs à la télévision la fille la plus puissante

de l'univers : une Culottée pimpante qui présentait la météo et qui, sans hésiter, ordonnait le temps qu'il ferait le lendemain. Personne n'osait la contredire, pas même le président des Culottés. Hippo eut beau expliquer que cette adulte souriante ne décidait pas le temps mais qu'elle le prévoyait, aucun Colorié ne le crut. Forcément, son histoire était moins marrante que celle de Dafna. Et puis, en général, cette fille autoritaire était obéie par le soleil et les nuages.

Tout aurait pu durer ainsi éternellement. Mais la police sérieuse des Culottés finit par se rendre compte qu'il y avait dans Paris une bande de garnements incontrôlables, des chenapans trentenaires qui tiraient la langue aux agents avant de s'enfuir, juste pour le plaisir. Cela n'aurait pas été trop grave, mais les choses se corsèrent car ces polissons chapardaient avec une gaieté formidable, une voracité illimitée. On en avait même vu qui avaient pillé les caisses d'un supermarché, juste pour avoir ensuite le plaisir de lancer les billets de banque aux clients ! Ces énergumènes dévalisaient allégrement, sans rechercher d'autre profit que celui de s'éclater. La population semblait d'ailleurs les apprécier car ils commettaient leurs forfaits en ayant l'air de s'amuser. On les disait toujours prêts à partager leur butin avec ceux qui voulaient bien zouaver avec eux.

À cela s'ajouta un autre problème… qui concernait directement les parents (toujours inquiets) de la capitale culottée.

4

Lulu et Jojo, les enfants d'Hippo, avaient prévenu leurs copains qu'une communauté d'enfants libres, affranchis de leurs parents, s'était établie au zoo de Vincennes. La nouvelle avait vite fait le tour des cours de récré. Peu à peu, tous les élèves de leur école étaient venus constater qu'il était tout à fait possible de vivre sans adultes ! On l'imagine, cette histoire avait fait du pétard chez les marmots des Culottés. Les amis de Lulu et Jojo en avaient jacassé avec leurs potes qui avaient bavardé de ce sujet avec leurs propres camarades qui eux-mêmes... En quinze jours, la moitié des écoles de Paris était au courant, sans que les grands aient eu vent du phénomène. *Radio-enfants* fonctionnait à merveille !

Ari n'en revenait pas : chaque jour, un flot grandissant de gamins rappliquait à Sans Adultes Park. Ces enfants avaient pour la plupart fait l'école buissonnière ou menti à leurs parents, car ils étaient tous soumis au contrôle tatillon d'un papa ou d'une maman. Éberlués, ils découvraient comment vivre en bonne intelligence avec d'autres mammifères, comment cuisiner soi-même des repas délicieux sur un feu de bois, comment se construire une cabane confortable dans les arbres ou une machine spéciale (pour faire rire les *girls*, apprivoiser ses ennemis, voyager sur place, désérieuser un Culotté, etc.). Pour la première fois, ces esclaves soumis aux volontés et aux désirs de leurs parents s'apercevaient qu'il était possible de vivre selon leurs propres envies. Ils comprenaient soudain qu'ils avaient le droit d'être eux-mêmes. Les Coloriés étaient la preuve vivante qu'ils n'étaient pas uniquement les rejetons de leurs géniteurs !

À Sans Adultes Park, Ari avait interdit l'usage des noms de famille : on n'était qu'un prénom, comme si on n'était né de personne. Évidemment, c'était un petit peu inquiétant, mais en même temps ça faisait du bien ! En fait, la plupart des enfants en éprouvaient un sentiment de soulagement. Ils étaient soudain dispensés des inquiétudes étouffantes des mamans, des espérances fatigantes des papas ! Chez les Coloriés, à Vincennes, il suffisait de faire ce qu'on voulait pour vouloir ce qu'on faisait et c'était bien assez comme ça. Personne ne vous jugeait, ne se faisait du mauvais sang pour vous.

Mais il arriva un jour où certaines mamans (plus futées que les autres) et certains instituteurs repérèrent l'endroit pas comme les autres qui aimantait les mineurs aux portes de Paris. Ils s'en rendirent compte car il n'y avait pas que les élèves des écoles primaires pour venir respirer l'air de la liberté au zoo : les adolescents, prévenus par leurs petits frères et sœurs, se mirent également à débarquer. Les jeunes dans leur ensemble étaient fascinés par ces Coloriés qui leur expliquaient en souriant qu'il était tout à fait possible de ne pas s'engouffrer dans des vies programmées, de suivre leurs rêves plutôt que de cavaler après l'argent. «Arrêtez d'obéir à vos agendas!» leur disaient-ils en se la coulant douce dans les cages ouvertes de Vincennes. Contrairement aux adultes maladivement méfiants, les Coloriés démontraient à chaque seconde qu'il est délicieux de faire confiance aux autres. Tous les ados qui ne souhaitaient pas devenir comme leurs parents, aussi déçus qu'eux par leurs amours, aussi impuissants à changer un monde injuste, tous ceux-là trouvaient chez les Coloriés un bol d'air frais. D'autres trucs leur plaisaient à Vincennes : alors que les Culottés luttaient tous pour arriver le premier, être le plus coriace, le plus riche, les Coloriés rivalisaient pour se montrer le plus désopilant, le plus aventureux (ils escaladaient en douce la tour Eiffel!) ou le plus désorganisant! De temps à autre, Ari et ses amis s'amusaient à bloquer la circulation de la capitale en roulant comme des escargots dans des voitures repeintes, histoire d'obliger les grands à se demander pourquoi ils se dépêchaient toujours. En somme, les jeunes Parisiens rencontraient à Vincennes de drôles de zèbres qui proposaient autre chose que ce qu'ils avaient toujours connu.

En effet, les Coloriés portaient des vêtements multicolores, repeignaient tout (les habits tristounets, les paires de chaussures, les voitures grises… ils ne supportaient pas le noir et blanc de la ville!) et se dessinaient sur la figure des visages enjoués. À chaque visite, les gamins et ados de Paris les voyaient se conduire dans le zoo avec insouciance comme si demain n'existait pas. Les Coloriés goûtaient les événements du moment avec un enthousiasme qu'ils avaient rarement observé chez leurs parents. Certains matins, les Délivrés se levaient avant tout le monde pour avoir le plaisir gratuit de voir le soleil se lever du haut de la butte de Montmartre. Les fleurs les émerveillaient. Ils applaudissaient les bêtes qui circulaient librement dans le parc animalier, les jolies filles dans les rues, les manifs les plus opposées qui défilaient en chantant avec de belles banderoles de couleur. Les Coloriés s'amusaient dans les fontaines de la capitale alors que tant d'adultes négligent de s'y baigner. On les trouvait assemblés sous les jets d'eau du Trocadéro, s'ébattant place de la Concorde ou zouavant dans les bassins des Tuileries. Ils paraissaient heureux d'exhiber leurs beaux costumes et leurs déguisements bariolés (composés de vêtements d'adulte détournés, de boucher, d'infirmière, etc.). Et puis chez les Coloriés, les sous ne comptaient pas ; d'ailleurs ils ne comptaient jamais leur argent. Tout enfant ou adolescent fugueur de Paris pouvait donc les rejoindre puisqu'il suffisait pour devenir un authentique Colorié de renoncer à porter des habits tristes, de jouer tout le temps avec humour au lieu de travailler dur, et d'être prêt à se moquer des habitudes des Culottés. Les nouveaux convertis dormaient avec les Coloriés sur la paille du zoo ou dans des hamacs installés dans les arbres des squares parisiens, ou encore sur des trampolines qu'ils avaient escamotés en douce dans le Jardin d'acclimatation du bois de Boulogne. Pour se laver, ils se chatouillaient allégrement dans les fontaines. Quant à la nourriture, ils la dérobaient en riant (c'était un jeu assez rigolo) ou demandaient aux singes de la subtiliser pour eux.

Les nouveaux venus commençaient par turbuler à Vincennes. Ils participaient aux grandes parties de *on dirait qu'on serait* organisées par Ari. Les trois grandes fêtes qui eurent le plus de succès furent *on dirait qu'on serait heureux, on dirait qu'on serait aveugles avec des cannes blanches* et *on dirait qu'on serait des hommes invisibles*. Cette dernière partie réunit jusqu'à quinze mille galopins de tous âges qui gambadèrent dans le musée du Louvre ! C'était surtout l'humour des Coloriés qui attirait les Culottés attristés par la vie et les jeunes inquiets de ressembler un jour à leurs parents. Ensuite, les plus

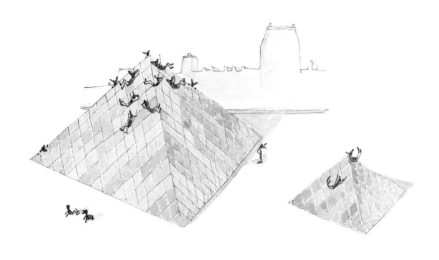

214

séduits quittaient pour de bon leur famille et se conver-
tissaient à la couleur en adoptant la nationalité coloriée.
Au début, ils étaient un peu empotés. Ils détonnaient.
Puis, au contact des Délivrés de souche, ils se désadulti-
saient. Leur malice s'éveillait. Ils acquéraient une franchise cordiale et une spontanéité involontaire.

Lorsqu'un galapiat de moins de seize ans filait à
Vincennes, la police culottée, à présent bien avertie, se
déplaçait, récupérait le fugitif et appelait les parents.
Mais, comme les gamins affranchis fuguaient à nouveau,
les Coloriés (très coopératifs) prirent l'habitude d'appeler
eux-mêmes les parents, en en profitant au passage pour
leur faire des farces au téléphone! Dafna recevait, au
moment où ils venaient rechercher leur progéniture, des

mamans paniquées ou des papas énervés et leur demandait avec franchise :

– Pourquoi tu crois que ta petite elle n'a pas envie de rester chez toi ? De quelle couleur sont les murs dans ta maison de grand ? T'es un amoureux rigolo et farceur avec ton amoureuse baguée ? Tu fêtes Noël combien de fois par an ? Vous faites beaucoup de farces téléphoniques la nuit pour rire ? Et du trampoline ?

Les parents ressortaient irrités ou perplexes de ces interrogatoires très dérangeants car, au fond, rares étaient les adultes vraiment capables de prendre du plaisir à vivre. La plupart avaient l'air contents de s'ennuyer paisiblement dans une existence régulière, pas catastrophique, juste grise et sage. Peu à peu, personne à Paris ne fut plus indifférent à l'arrivée sous nos tropiques de ce peuple bigarré, poseur de questions et heureux avec insolence.

Ce qui devait arriver arriva. À force d'attirer les jeunes à Vincennes, Ari finit par inquiéter les parents pour de vrai. Les plus sérieux dirent qu'on ne pouvait pas laisser ces Coloriés agaçants rire de tout librement, montrer leurs émotions sans aucune pudeur et proposer aux enfants de remplacer le travail par le jeu ! Le gouvernement se scandalisa qu'il y eût des effrontés qui ne jouent pas le jeu de la société. Où allait-on si les gamins se mettaient à croire qu'ils n'étaient pas des citoyens mineurs ? Leurs désirs devaient continuer à compter pour du beurre ! Le Président rappela haut et fort que les enfants n'étaient que des humains mal finis, des inconséquents alors que les adultes, eux, étaient toujours logiques, conséquents et responsables ! Bref, il affirma que le pouvoir des grands sur les petits était absolument légitime !

On le devine, un homme suradultisé veillait à encolérer les grandes personnes et à effrayer le gouvernement des grands : c'était Casimir Chance. Lui seul avait compris ce qui se passait effectivement dans Paris. Mais il se garda bien de révéler au Président le secret des Coloriés. Casimir connaissait trop les Culottés. Il savait qu'aucun adulte ne le prendrait au sérieux s'il révélait la vraie vérité. Les majeurs pensaient tous qu'il était impossible qu'un peuple entier eût renoncé à grandir. Malin, Casimir jugea plus astucieux d'attendre que les parents paniquent pour… organiser le sursaut des Culottés et détruire enfin l'influence d'Ari.

L'heure de la réaction approchait.

5

– Monsieur le Président, déclara Casimir en conseil des ministres avec solennité, il faut désormais sonner la fin de la récréation et rappeler aux enfants qu'ils ne sont que des... enfants, oui de sales morveux. Chaque vaurien n'a-t-il pas le droit d'être éduqué ? Rectifié ? Corrigé ? Arraché à l'ignorance et à la barbarie de la première jeunesse ?

Le Président de la République opina du bonnet avec gravité et ajouta que l'Europe s'inquiétait également, car le bruit courait à présent dans toutes les écoles et lycées du continent qu'il y avait à Paris des enfants libres. Des malappris qui échappaient totalement au contrôle des grandes personnes ! Ses collègues, les autres chefs d'État, étaient très contrariés par ce mauvais exemple conta-gieux. On signalait un peu partout dans l'Union des bandes d'enfants qui convergeaient gaiement vers Paris. Ces jeunes affranchis cavalaient dans les chemins creux, voyageaient sans billets dans les trains, s'étaient mis en route à dos d'âne, en trottinette, à vélo, sur les épaules des grands frères. Tous étaient animés par l'espoir d'une vie meilleure, plus coloriée. Les ados les plus âgés commençaient même à se peindre sur la figure le visage qu'ils avaient eu à dix ans au lieu de basculer dans le camp des adultes !

– La France, conclut le chef de l'État, n'a pas vocation à devenir la cour de récréation de l'Europe.

Se sentant soutenu, Casimir poursuivit avec fermeté :

– En tant que ministre de l'Éducation, j'ai pour mission de reprendre en main ces sauvageons. Mais, compte tenu de la gravité de la rébellion…

– … qui reste non violente, fit remarquer M. Sifflet, le chef des policiers.

– Compte tenu de l'extrême gravité de la rébellion, répéta Casimir inflexible, je vous prie monsieur le Président de me donner immédiatement les pleins pouvoirs en matière de police. Je dois être en mesure de coordonner la répression.

– Mais vous voulez mon ministère ! s'insurgea M. Sifflet qui devint soudain rouge écrevisse.

– Faute de quoi, poursuivit Casimir glacial, je crains que ce mouvement ne dégénère.

– Mais c'est ma place ! protesta le ministre de la Police.

– C'est pas parce que t'y étais avant qu'elle est à toi ! répliqua vertement Casimir.

– Si, j'y étais en premier !

– Messieurs, reprit le Président sur le ton d'un papa habitué à gronder, nous sommes tout de même des grandes personnes ! Veuillez vous ressaisir.

– Mais c'est ma place…, murmura M. Sifflet vexé.

– Eh bien je la lui donne, votre place ! trancha le Président.

– C'est pas juste…, murmura le chef de la police humilié. Qu'est-ce que j'ai fait?

– Vous avez laissé se développer cette mutinerie enfantine qui répand une joie de vivre inquiétante, un esprit farceur que je n'aime pas. Hier, vos propres enfants m'ont fait une farce téléphonique à deux heures du matin!

– Mais tout le monde s'est laissé déborder dans sa propre famille! plaida M. Sifflet.

– Non, pas tout le monde! s'exclama le chef de l'État.

– Vos propres filles, monsieur le Président, sont à Vincennes cet après-midi!

– Martine et Rose… à Vincennes?

– Oui.

– Sacrebleu! s'écria le Président hors de lui. Casimir Chance vous cumulez dès cet instant les fonctions de ministre de l'Éducation et de la Police. Matez cette révolte! Collez des fessées à ces attardés et ramenez-moi Rose et Martine…

Casimir soupira d'aise. Enfin il tenait sa revanche contre son frère. Ari n'aurait pas le dernier mot de cette histoire. Fidèle à ses parents, Casimir était résolu à remettre dans le droit chemin les enfants, qu'il considé-rait comme des bêtes sauvages à redresser, et les Coloriés qu'il détestait.

Autour de la table, personne ne pouvait se rendre compte que M. Sauvage, le nouveau ministre de l'Infor-mation, était en réalité le fils du dernier juge de la Déli-vrance… un Colorié déguisé en ministre, un grand enfant infiltré! Petit Jean avait tellement changé que Casimir ne l'avait pas reconnu! Avant de clore le conseil (là où les chefs adultes décident tout en bande), le Président lui donna la parole qu'il réclamait :

– Mes chers collègues, déclara le faux M. Sauvage (Petit Jean avait l'air d'un vrai monsieur!), avant que nous ne commettions une erreur historique, je voudrais vous poser une question simple : pensez-vous que les Coloriés auraient pu provoquer une telle frénésie à Paris et dans toute l'Europe s'ils n'avaient pas soulevé de vrais problèmes?

– Que voulez-vous dire? demanda le Président.

– Je ne doute pas que Casimir Chance réussisse à vous ramener Rose et Martine à l'Élysée avant l'heure du goûter, mais parviendra-t-il à proposer aux jeunes une vie plus enthousiasmante que celle de leurs parents? Ne devriez-vous pas, monsieur le Président, prendre la tête de ce printemps de Paris, de cette révolution juvénile et rieuse, plutôt que de céder aux propos alarmistes d'un ministre qui semble avoir du mal à prendre du plaisir dans sa propre existence?

– Cet homme est un fourbe, un traître à la cause adulte! éructa Casimir. Destituez-le! Je réclame la tête de Judas!

– Monsieur le ministre de l'Éducation, rouspéta le Président, un peu de tenue!

– Monsieur le Président de la République, continua Petit Jean avec déférence, si j'osais me permettre un écart de langage, je vous donnerais le conseil suivant : poilez-vous avec les Français! Au lieu de saisir un martinet...

– Et comment pourrais-je me *poiler,* comme vous dites? demanda le chef de l'État.

– Vous n'allez tout de même pas écouter ce renégat! vociféra Casimir.

– Vous pourriez écouter Martine et Rose, répondit le ministre de l'Information. Je me suis laissé dire qu'elles participaient cet après-midi à une grande partie de saute-mouton devant l'Assemblée nationale. On attend, je le crains, quelques dizaines de milliers de participants, tous déguisés.

– Vous voudriez que j'aille jouer à saute-mouton devant l'Assemblée? Et que je me déguise?

– Oui.

– Mais en quoi, parbleu?

– En Président de la République.

– Pour de vrai? lâcha l'homme d'État désarçonné.

– Cela serait du meilleur effet…, commenta Petit Jean. Si vous ne jouez pas avec les Coloriés, savez-vous ce qui se passera?

– Non.

– Vous donnez votre langue au chat?

– Oui, fit l'officiel inquiet.

– Vous perdrez à coup sûr car il y a un enfant qui sommeille en chaque citoyen français, répliqua le faux M. Sauvage très sûr de lui.

– N'écoutez pas ce serpent! hurla Casimir ivre de fureur. Si vous vous déguisez en Président, personne ne voudra plus croire que vous l'êtes vraiment! C'est toute l'autorité des grandes personnes de ce pays qui volera en éclats. Comment les enfants pourront-ils continuer à craindre leurs professeurs s'ils se rendent compte que ce sont de simples personnes déguisées en enseignants?

– Mais… comment diable pourrais-je me déguiser en Président de la République? demanda l'intéressé qui paraissait réellement troublé.

– Mais…, hésita M. Sauvage. Vous l'êtes déjà !

Surpris par cette réponse, le Président se tourna vers un miroir et constata avec angoisse qu'il était effectivement déguisé en Président de la République.

– Mais alors…, murmura-t-il paniqué. Nous le sommes tous…

– Quoi ? demanda Casimir.

– Déguisés ! lança le chef de l'État.

Le prétendu M. Sauvage eut alors un geste maladroit. Sa mallette se renversa et s'ouvrit largement au milieu de la table du conseil des ministres. À la place des habituels dossiers, chacun put voir que le porte-documents était rempli d'un yo-yo, d'une boîte de Monopoly, de farces et attrapes, d'un pistolet à eau et d'une paire d'échasses pliantes ! Tout le monde comprit alors que M. Sauvage était un faux ministre !

– Mais alors vous êtes…, bredouilla le Président qui saisissait toujours les choses moins vite que les autres.

– Oui, un authentique Colorié ! s'exclama Petit Jean.

– Gardes ! rugit Casimir. Arrêtez ce félon qui nous loge dans l'esprit des idées pernicieuses ! Et puisque je suis désormais le vrai ministre de la Police du véritable État français, je décrète l'état de siège en vertu des pouvoirs certains que vous m'avez donnés pour de bon !

– Soit…, fit le Président qui, lui, n'était plus tout à fait sûr d'être un Président bien réel. Et ramenez-moi Martine et Rose…

– Je vous défends de leur parler ! ordonna Casimir hors de lui. Tout enfant est susceptible de nous contaminer ! Donc tout mineur sera désormais suspect !

6

La répression commença le jour même. La partie géante de saute-mouton devant l'Assemblée nationale fut interdite. Les policiers armés de bâtons et de boucliers chargèrent avec brutalité les Coloriés et les Parisiens de tous âges qui soutenaient la cause des enfants. Tous les manifestants s'étaient peint sur le corps des vêtements en trompe l'œil, en signe de ralliement. Au milieu d'eux vaquaient les animaux paisibles du zoo de Vincennes. Devant une telle attaque, Ari eut l'idée de grimper en vitesse dans les arbres de la capitale, en compagnie des singes. Les forces de police se retrouvèrent devant des zèbres coloriés pacifiques, des éléphants bariolés, des girafes retouchées et de paisibles antilopes déguisées en vaches normandes. Mais il y eut quand même quelques arrestations car les moins agiles des Coloriés eurent le réflexe saugrenu de cacher leur tête sous les ailes des autruches ou de se jeter sur le visage des serviettes, afin de ne pas être remarqués. Ce comportement illogique (aux yeux des Culottés) étonna les policiers qui n'avaient

jamais vu de contestataires se conduire ainsi ! Quand on leur retira les serviettes censées les dissimuler, les Coloriés se montrèrent très surpris d'avoir été découverts et la plupart jouèrent à se faire arrêter, en remerciant chaleureusement les agents pour leur participation gratuite à cette bonne partie de rigolade. À bord des camions grillagés, ils exigèrent même d'entendre les sirènes, se mirent en pétard car on ne jugeait pas utile de les menotter et tapèrent des pieds jusqu'à ce que les CRS acceptent de remettre leur panoplie au complet, casque compris ! Les Coloriés ne voulaient pas d'une arrestation bâclée.

L'événement enchanta les télévisions et les journalistes présents qui, eux, n'avaient jamais assisté à une révolte conduite avec autant de bonne humeur et d'acrobaties. Du haut des branches des marronniers, les Coloriés en liberté s'étaient mis à faire pipi sur les policiers, en riant comme des cornichons. Les singes enchantés applaudissaient. Les médias se firent, on l'imagine, l'écho de cette pantalonnade de révolution car ils ne se lassaient pas d'évoquer ces insoumis multicolores si distrayants pour le public. Mais ce qui réjouit le plus les chaînes de télé, ce fut l'apparition dans les branches de Rose et Martine, les deux filles du Président, coloriées jusqu'aux oreilles ! Ari tendit à Rose son porte-voix. La fillette attaqua alors avec vigueur un discours vibrant :

– Que nous ont apporté les adultes ? La paix, la médecine, les routes, les égouts, le moteur à explosion, les ordinateurs, l'eau courante. Mais à part ça, rien ! Rien que des ennuis. Alors moi je dis que si mon papa veut m'offrir une poupée, un cheval blanc, cent bijoux de princesse et une robe de mariée gratos, je répondrai non ! Parce que je veux que la robe de mariée !

La foule juchée dans les arbres applaudit. Mais la police n'osait pas s'en prendre aux filles du Président. Les Coloriés purent donc s'en tirer cette fois-ci. Cependant, Casimir fit boucler le zoo de Vincennes et exigea que l'on ramenât les animaux dans leurs cages. Puis il ordonna la suppression du panneau *Sans Adultes Park* (écrit en rébus) qui avait été fixé sur la grille de l'entrée. Le drapeau des Coloriés fut également retiré. Il fallait que les Français sachent que l'ordre adulte le plus austère était rétabli. Les fontaines de Paris cessèrent de servir de piscines. On était prié de ne plus rire de tout dans la capitale. Casimir fit même confisquer les trottinettes, les yo-yo, les cerceaux, les rollers, et tous les jouets susceptibles de passer pour des symboles de la révolte des Coloriés.

La dernière apparition autorisée d'Ari au journal télévisé de vingt heures fut la plus déroutante :

– Mes chers enfants et chers adultes qui êtes tristes d'être devenus des grands, déclara-t-il, c'est dur dur ce qui nous arrive. Nous autres, les Coloriés, on ne voulait pas faire de mal aux grandes personnes. On souhaitait juste que les enfants d'Europe ne grandissent plus et qu'ils ne soient plus soumis aux lubies de leurs parents ! Mais comme on est grondés par Casimir qui veut nous esclavagiser et nous éduquer de force, on va se défendre, c'est forcé ! C'est pas de notre faute, nous on aurait bien aimé gentiller, continuer à se poiler avec vous… mais pas de pot, on va devoir batailler !

– Quel type de dissidence comptez-vous organiser ?

demanda le journaliste télé avec gravité en ajustant ses lunettes.

– Pour résister, les Coloriés vont juste s'attaquer au temps.

– Qu'entendez-vous par là?

– J'ai décidé de supprimer le temps des adultes.

– Le temps…, reprit l'interviewer déconcerté. Mais on ne peut pas le supprimer! Le temps reste le temps.

– Non, le temps des enfants, c'est autre chose. Nous, on compte en moments, en émotions, en Noëls, en heures de colle, en punitions, en surprises… pas en minutes ou avec des calendriers fixes!

– Qu'allez-vous entreprendre?

– On ne va rien entreprendre, on l'a déjà fait, rétorqua Ari. Quand on cause, nous, c'est jamais au futur! Regardez votre horloge, là, sur l'ordinateur, qu'est-ce qu'elle indique?

– Minuit…, bredouilla le journaliste qui croyait présenter le journal de vingt heures.

– Dafna, ma copine, elle a imaginé un virus qui détruit toutes les horloges de partout sur Internet. Et ce soir, ça commence, la pagaille!

– C'est une plaisanterie?

– Assez drôle, vous ne trouvez pas? Puisque Casimir veut nous entraîner dans le temps adulte, nous on va lui imposer le nôtre! Le présent à perpétuité!

7

Dès le lendemain matin, le monde entier commença à se détraquer. Dafna et ses amis s'étaient amusés à bricoler un virus informatique qui dévorait les dates et les horaires sur Internet. Avec une efficacité diabolique, il dérégla ainsi tous les ordinateurs de la planète. La bourse de New York ouvrit ce jour-là avec trois heures de retard, celle de Paris ne voulut pas se réveiller car les ordis déboussolés croyaient que c'était le 14 Juillet! Les avions ne parvenaient plus à se coordonner ou à calculer la durée de leurs vols. Désynchronisés, les serveurs envoyaient aux ordinateurs de tous les particuliers des dates fantaisistes qui rendaient le trafic des e-mails impossible à traiter. Les fortunes échangées par les banques commencèrent peu à peu à disparaître car une somme d'argent inscrite sur un compte n'existe qu'à une date précise. De même, la valeur des entreprises dépend-elle de l'instant précis de leur cotation en bourse. Or plus aucune date n'était fiable! L'argent des adultes se mit donc à se volatiliser dans les mémoires affolées des ordinateurs. Mille bombes placées par des terroristes futés n'eussent pas fait plus de dégâts chez les Culottés !

Les astuciens étaient parvenus à feinter les systèmes antivirus car les Coloriés ne raisonnaient pas selon des schémas appris. Ils se poilaient en déjouant les défenses informatiques ! Leur façon ludique de penser n'avait pas été prévue par les analystes programmeurs formés dans les écoles adultiennes les plus rigoureuses. L'excitation des Coloriés devant les écrans des cybercafés était telle qu'ils en profitèrent pour pénétrer les ordinateurs du ministère de l'Éducation : tous les élèves de France qui avaient eu des zéros pendant l'année scolaire reçurent des vingt sur vingt à la place et le niveau scolaire des cancres fut considérablement réévalué !

– Ça leur apprendra à dire du mal des enfants qui ne sont pas faits pour l'école ! avait commenté Ari.

Mais l'essentiel de la gabegie provoquée par les Coloriés était dû à leur volonté opiniâtre de détruire le temps adulte. Hippolyte les aida grandement. En fin connaisseur de la culture des grandes personnes, il connaissait les failles de leur univers bien huilé ! C'est lui qui indiqua à Dafna les sites Internet des horloges de référence planétaires, à Francfort et en Angleterre, celles sur lesquelles le monde entier se cale. Leur dérèglement brutal déclencha une vague de perturbations majeures qui immobilisèrent une bonne part des échanges mondiaux. Le tourisme chuta aussitôt. Les voyages des hommes d'affaires se révélèrent tout à coup impossibles. Mais ces catastrophes – aux yeux des Culottés ! – ne calmèrent pas l'entrain des Coloriés qui, talonnés par Hippo, s'en prirent à tout le passé encore présent dans nos vies et au futur préparé avec soin par les grandes personnes.

Les archives parisiennes furent saccagées et brûlées avec exaltation. Une bonne partie de l'Histoire de France s'envola ainsi en fumée sous les applaudissements nourris d'Ari et de ses partisans ivres de présent. Le grand incendie des Archives nationales fut d'ailleurs l'occasion d'une fête où l'on mangea des quantités extraordinaires de pizzas et de frites au ketchup. Puis, dans la foulée, les Coloriés déboulonnèrent les statues des morts qui encombrent les places de la capitale, histoire de faire de la place aux vivants. Cornélius et ses Rapporteurs se spécialisèrent dans le dévissage systématique des plaques des rues de Paris qui, il faut le reconnaître, portent presque toutes le nom d'un squelette. Pour finir, Dafna ruina les archives numérisées d'une bonne partie de l'Europe en leur expédiant, via Internet, un virus antivieillerie d'une puissance de destruction inégalée !

– Quand je nettoie le monde de son passé, ça me donne envie de le redessiner ! déclara-t-elle.

Quant à l'avenir, Ari s'en occupa personnellement. Tout ce qui était inscrit en prévision sur un ordinateur fut pulvérisé par des virus déchaînés : les tableaux de garde des médecins des hôpitaux, les plannings du trafic ferroviaire, les programmes des salons les plus divers, les calendriers d'examens, les grilles d'émissions télévisées, les prévisions des fournisseurs de toutes sortes, les budgets des entreprises, les commandes à venir des administrations, les listes de nominations des professeurs à la rentrée, tout y passa ! Il ne fut bientôt plus possible d'organiser quoi que ce soit à l'avance. Les Coloriés avaient décrété que l'avenir était aboli. Maniaques, ils poussèrent même le jeu jusqu'à incendier les stocks de programmes

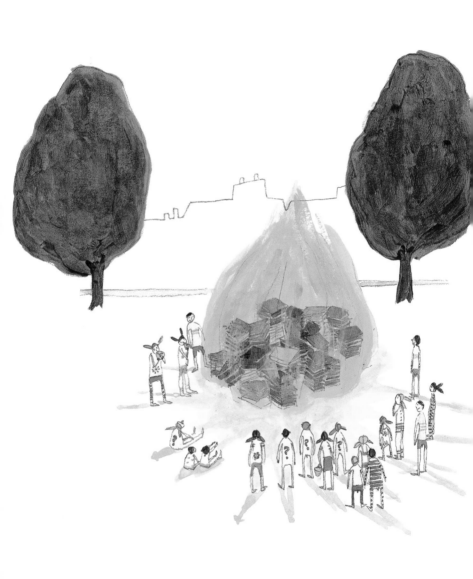

télévisés qui avaient déjà été imprimés! Ce qui, d'ailleurs, ne servit à rien car les émissions furent aussitôt interrompues, faute d'être fixées plusieurs jours à l'avance et par manque de techniciens : ceux-ci ne pouvaient plus se rendre à leur boulot, les trains et les métros ne parvenant plus à se combiner.

On l'imagine, ce blocage général enchanta les enfants.

Enfin leurs parents cessaient de travailler! Enfin Paris était rendu aux piétons (il n'y avait plus d'essence dans les stations-service – à quelle date les aurait-on livrées?)! Enfin les papas n'étaient plus pendus au téléphone (les compagnies de téléphone ne peuvent pas fonctionner sans horloges précises)! La police ne put bientôt plus se déplacer ni communiquer, les impôts n'étaient plus exigés (il n'y avait plus de dates limites de paiement!), les juges se trouvaient dans l'impossibilité de juger parce qu'un vrai jugement est forcément daté et... les élèves furent dispensés d'école car on ne savait plus exactement distinguer les jours fériés des autres. Libérée du quotidien, la population de Paris était aussi disponible et conviviale qu'un jour de grève générale, sauf que personne n'était mécontent.

Du coup, les Coloriés se mirent à colorier les murs de la capitale, les polissons polissonnèrent en chevauchant des bâtons, les zouaves zouavèrent sur des échasses, les pitres pitrèrent en toute liberté, bref tous les enfants se poilèrent en jouétisant la capitale. Les rampes des escaliers des métros furent toutes transformées en toboggans. Les arbres des squares accueillirent des ribambelles de filles qui squattaient les branches pour s'offrir des siestes délicieuses. Les toits des voitures décapotables immobilisées furent convertis en trampolines, tandis que les quelques véhicules qui roulaient encore servirent d'autos tamponneuses aux enfants non surveillés de Paris.

Mais si la France était en vacances, le gouvernement, lui, ne l'était pas.

8

Au conseil des ministres, l'ambiance n'était pas à la rigolade. Quand les ministres parvenaient à se réunir, car il n'y avait plus de date fiable dans les agendas électroniques ! Tous en voulaient à Casimir : ce furieux avait pris en main la lutte contre les Coloriés, il avait bien arrêté un certain nombre de ces garnements, mais ces derniers avaient organisé des chahuts bigrement sonores dans les prisons en s'amusant à taper sur les portes de fer des cellules. Leur idée était d'entraîner les autres détenus dans des concerts de tam-tams improvisés. Bien entendu, tous les prisonniers leur avaient emboîté le pas. Les divertissements sont si rares derrière les barreaux ! La presse avait rapporté ces festivités bruyantes en félicitant les Coloriés d'être parvenus à introduire leur gaieté dans les établissements pénitenciaires !

Pour l'essentiel, on le voit, l'action de Casimir s'était soldée par une faillite complète de l'ordre adulte. Le Président en personne fit une intervention devant le conseil un mercredi (ou un vendredi, on ne savait plus !) et déclara avec solennité :

– Monsieur le ministre de la Police et de l'Éducation, nous avons un problème.

– Ne vous ai-je pas ramené Rose et Martine ? répondit Casimir sur la défensive.

– Certes… mais les archives du congrès américain viennent d'être détruites à Washington par un virus. Le Président des États-Unis m'a appelé, paniqué. La bourse de Francfort est laminée, celle de Londres agonise, celle de New York a fermé. De la Baltique à la Méditerranée, l'eau ne coule plus dans les robinets du continent. Le trafic aérien mondial est quasiment arrêté. Tous les passagers d'Europe craignent que les pilotes ne soient des Coloriés déguisés en pilotes ! De toute façon les aiguilleurs du ciel ne peuvent plus guider les avions puisque le temps n'est plus mesurable ! Et tout cela à cause de…

– … d'Ari, de ce putois d'Ari ! s'exclama Casimir rouge de colère.

– Non, rectifia le Président, à cause de vous monsieur le ministre.

– Comment osez-vous m'accuser ?

– Nous avions une révolte souriante de polissons peinturlurés, un zoo charmant transformé en Sans Adultes Park, et nous nous retrouvons avec un cataclysme planétaire !

– Monsieur le Président, dois-je comprendre que vous envisagez de céder au chantage de ces godelureaux ? s'insurgea Casimir. Alors que nous devrions les priver de goûter et leur coller de bonnes fessées !

– Ce n'est pas moi qui vous le demande monsieur Chance, c'est l'Europe, l'Amérique, le Japon, la Tanzanie, la Papouasie, le monde entier. Nous ne pouvons pas vivre sans date, sans temps ! Une guerre thermonucléaire aurait causé moins de ravages ! Il faut négocier.

– Négocier ? répéta Casimir blanc comme un linge.

– Oui, et vite. D'autant plus vite que leur façon de faire de la politique commence à séduire les foules...

– Que voulez-vous dire ?

– Je parle de la dernière idée d'Ari, leur chef, pour donner à tous les enfants envie d'apprendre à lire des bonnes histoires. Vous ne le saviez pas ? Les Coloriés invitent les grands-pères et les grands-mères à venir lire des romans aux petits dans les squares et dans les écoles à l'heure de la cantine ! Dix mille retraités ont déjà dit oui à cette initiative, juste pour se faire plaisir ! Ari est en train de lever une armée de retraités !

– Mais que veulent-ils au juste, ces Coloriés ? demanda un autre ministre.

– *Se poiler !* répondit un autre en souriant.

– Non, coupa Casimir avec gravité. Ces rebelles ont formé le projet de délivrer tous les enfants du monde de ce qu'ils appellent *le colonialisme adulte.*

– Concrètement, cela veut dire quoi ? reprit un ministre en ajustant ses lunettes. Ou pour dire les choses plus crûment, cette gabegie va nous coûter combien ?

Et Casimir de répondre sur un ton dégoûté :

– Concrètement, cela veut dire qu'ils entendent montrer le pire exemple à la jeunesse et aux adultes qui, bientôt, ne penseront plus qu'au bonheur, à ce sale bonheur. Vous verrez ! Ça commence avec les retraités et on ne sait pas où ça ira…

– Et si nous leur demandions ce qu'ils souhaitent réellement ? suggéra le Président. Avons-nous seulement pris le temps de les écouter ?

– Écouter des enfants ? s'étrangla Casimir scandalisé.

– Après tout, soupira le Président, nous prétendons vivre en démocratie mais le suffrage n'est pas universel puisque les mineurs n'ont jamais eu le droit de participer aux élections. Il a fallu attendre 1945 pour voir les femmes voter dans ce pays ! Combien de temps encore allons-nous négliger le point de vue des enfants ?

– Vous subissez l'influence de Rose et de Martine ! répliqua Casimir hors de lui. Et bientôt celle d'Hippolyte !

– Qui est cet adulte qui semble les guider dans leur action ? poursuivit le Président.

– Hippolyte Le Play est ethnologue, répondit le chef des services secrets. Il avait fait un discours à la Société Française d'Ethnologie, juste avant de partir pour l'île de la Délivrance. Personne ne l'avait cru lorsqu'il avait évoqué cette microcivilisation sans adultes…

– Avons-nous affaire à une véritable grande personne ? demanda le chef de l'État en songeant soudain qu'il lui arrivait encore d'aimer jouer au train électrique.

– Il semblerait que cet individu jouisse d'une double nationalité, répondit l'homme des services secrets. Il est à la fois adulte et enfant…

– L'enfance n'est pas une nationalité ! s'emporta Casimir.

– Je voulais dire qu'il paraît à l'aise dans les deux cultures. C'est un citoyen français raisonnable qui a toujours payé ses impôts, diplômé de l'université. Mais nos agents affirment l'avoir vu circuler en trottinette, chiper des frites, descendre les escalators du métro à l'envers, jouer au yo-yo ou se déguiser en pirate.

– Eh bien, faites savoir à ce monsieur turbulent que nous sommes prêts à recevoir une délégation coloriée au palais de l'Élysée, conclut le chef de l'État.

Au bord de l'asphyxie, Casimir s'évanouit.

’

Les Coloriés déboulèrent en chantant *La Rirette* dans la cour du palais présidentiel. Les plus jeunes devaient avoir quatre ans et les plus vieux trente-sept. Mais leur âge mental n'excédait pas douze ans. Pour la circonstance, tous avaient jugé nécessaire de se faire beaux. Dafna et Mina avaient mis un soin maniaque à reproduire sur leur peau des robes de princesse. Harold s'était dessiné sur le buste une anatomie mécanisée de robot. Hippo et ses deux enfants avaient attelé des autruches à une carriole ornée de points d'interrogation. Cornélius et ses Rapporteurs, juchés sur leurs échasses, portaient avec fierté les couleurs de l'arc-en-ciel. Les autres Coloriés étaient à la parade, équipés de masques de Zorro et chargés d'objets jouétisés. Quant à Ari, il avait enfilé un déguisement de Superman du plus bel effet. Il caracolait sur le zèbre multicolore qu'il avait choisi pour se rendre chez le Président. Quelques girafes teintes en rose les suivaient.

En arrivant dans la cour de l'Élysée, les Coloriés applaudirent spontanément les gardes républicains en

243

grande tenue qui leur faisaient une haie d'honneur. Ils leur remirent ensuite des gaufres à la confiture, en remerciement pour ce spectacle gratuit. Puis ils félicitèrent les soldats pour la beauté saisissante de leurs costumes rutilants. Étonnés, les gardes acceptèrent ces compliments avec le sourire – d'ordinaire, les visiteurs ne leur parlaient jamais ! – mais se crurent obligés, pour raison de service, de refuser les gaufres, alors qu'ils en crevaient d'envie !

Un monsieur très digne vêtu de sombre surgit alors sur le perron de l'Élysée. Raide comme un piquet mais plutôt sympathique, il les accueillit avec courtoisie :

– Le Président vous attend.

– Oui, répondit Ari, je comprends. Mais nous, on a la dalle, on n'a pas goûté. Et comme c'est bête de gâcher de bonnes gaufres, je crois qu'on va pique-niquer ici. Elle est jolie, cette cour, n'est-elle pas ?

– En effet, mais ne pourrait-on pas différer ces agapes…

– Agapes ? reprit Ari.

– Je veux dire repousser ce pique-nique ? expliqua l'homme en sombre. J'insiste, le Président vous attend.

– Il n'aime pas les gaufres ? demanda Harold.

– Ce n'est pas la question. Le Président…

– Hé, les gars, lança Ari, est-ce qu'on peut causer avec un Président qui n'aime pas les gaufres ?

– Mais si ! s'énerva l'homme en noir. Il les aime ! Et si vous entrez tout de suite, je vous promets que je ferai porter des gaufres chaudes dans son bureau !

– Avec de la chantilly ? s'enquit Dafna.

– Avec de la chantilly, concéda l'impatient.

– Et eux, reprit Ari en indiquant les gardes républicains.

Ils ont le droit de manger nos gaufres à la confiture pour leur goûter?

– Oui…

– Vous pouvez les becqueter! cria Ari en direction des gardes. Le monsieur en noir, il a dit qu'il ne va pas vous gronder.

Ravis, les hommes ne se firent pas prier. Ils gloutonnèrent les gaufres aussitôt. La délégation consentit à laisser les animaux dans la cour (sauf les singes qui les escortaient) et pénétra dans le palais de l'Élysée munie de trottinettes et de quelques jouets. Dans le hall, chaque Colorié eut l'amabilité d'embrasser la totalité des huissiers. Les huissiers, ce sont des gens tristes que les adultes ont l'habitude d'ignorer. Ils portent des chaînes autour du cou pour qu'on les reconnaisse, ouvrent les portes, les ferment, et personne ne leur parle jamais. Alors ça leur fit drôlement plaisir d'être soudain considérés et invités à faire de la trottinette dans les couloirs ou à jouer aux charades.

– Ça suffit de s'embrasser! tonna le monsieur en noir excédé. Les devinettes, ça sera pour plus tard. Maintenant on va tous voir le Président!

– Oh oui, oh oui! s'écrièrent les plus petits. Il aime bien les chatouilles, le Président?

– Pas précisément…

– On pourra chiper des trucs sur son bureau?

– Non!

Quand ils entrèrent dans le bureau présidentiel, le chef de l'État se leva. Il avait revêtu pour l'occasion un vrai déguisement de Président, avec un ruban bleu blanc rouge qui lui barrait le torse. Les Coloriés s'arrêtèrent et, dans un bel élan de sincérité, applaudirent son joli costume. Puis ils se prirent tous par la main et entreprirent de faire une ronde autour de lui en chantant avec entrain : *Sur le pont d'Avignon, on y danse on y danse…* Surpris, le chef de l'État resta immobile comme s'il se fût trouvé en face d'une tribu exotique. Lorsque la chanson fut finie, il demanda avec solennité :

– Quelles sont vos exigences ?

– C'est nous qu'on dit en premier ce qu'on veut ? demanda Harold. Ou on ploufe ?

– Pardon ? reprit le Président.

– Amstramgram…, chantonna Harold.

– Non, on ne ploufe pas dans les palais de la République ! s'énerva le chef de l'État des adultes.

Ari s'avança vers lui, rabattit en arrière sa cape de Superman et jeta sur le grand bureau une sorte de cahier de coloriage. Le Président l'ouvrit, tourna les pages avec perplexité et s'écria sur un ton dérouté :

– Mais… ce sont des dessins !

– Non, des rébus, rectifia Hippolyte. Mon peuple écrit en rébus, car tel est son bon plaisir. Alors on a écrit nos exigences en rébus !

– Ah…

– Et nous n'avons toujours pas eu les gaufres chaudes qu'on nous a promises ! lança Ari irrité. C'est pas du jeu !

– Les gaufres…, répéta le Président un peu perdu.

– À la chantilly ! précisa Dafna.

Hippolyte proposa alors de traduire le cahier de doléances (c'est comme ça qu'on appelle un cahier rempli de demandes insolentes). Le Président accepta de bonne grâce, parce qu'il était vraiment nul en rébus.

248

Mais le premier souhait des Coloriés le laissa de marbre :

– Nous voulons, ânonna Hippo, que le dra... drapeau fran... français, que le drapeau français soit désormais un... grand point d'interrogation rouge sur un fond blanc !

– Vous souhaitez modifier le drapeau national ? reprit le Président estomaqué.

– Oui, répliqua Ari.

– C'est une farce ?

– Non, ça non. Des farces on en a plein à faire, mais ça on le veut pour de vrai. La France, on dirait alors que ça serait une grande question.

– Vous avez d'autres exigences ? continua le Président.

– Oui, d'abord je veux faire pipi ! répondit Ari.

– Je parlais de demandes sérieuses !

– Mais c'est très sérieux, reprit-il. J'ai très envie d'aller faire pipi !

Gêné, l'homme en noir lui indiqua discrètement une porte.

– Vous pourrez vous laver les mains ici...

– Je ne veux pas me laver les mains, j'veux juste faire pipi ! repartit Ari à voix haute.

Ce fut donc Dafna qui poursuivit les négociations :

– Alors voilà... Nous autres, on veut bien que vous continuiez à jouer aux adultes, mais dans votre coin sans crâner. Ce qu'on ne veut plus, c'est que les petits soient obligés de vous imiter.

– Vous désirez fermer les écoles ?

– Ah non ! Il faut garder les écoles, pour les Culottés qui souhaiteraient se faire déséduquer, qui auraient envie de réapprendre à se poiler. Des écoles de ce genre, ça peut être utile...

– D'autres requêtes ?

– C'est quoi une requête ?

– C'est... une chose à laquelle vous pensez avoir droit.

– Alors là, y en a plein, nous on voudrait avoir le droit de ricaner de tout, de ne plus faire les sérieux dans le métro, aux enterrements, quand on parle aux policiers qui n'ont pas assez le sens de la rigolade, ça c'est sûr. Ce serait possible de leur apprendre des farces et des devinettes ? Ou qu'ils apprennent à faire des échanges avec nous de cartes de collec !

– C'est à étudier... En tout cas, il est tout à fait possible de demander à la police de vous laisser tranquilles.

– Non, il n'en est pas question ! riposta Dafna.

– Vous voulez qu'on vous réprime ? s'étonna le Président.

– Bien sûr !

– Mais... pourquoi ?

– C'est poilant d'avoir des règles à enfreindre ! C'est comme ça qu'on dit, non ? Pour ça, on a besoin des policiers. Et puis ce sont les seuls grands disponibles pour nous courir après gratos.

– Bien..., conclut le Président désorienté. Si vous y tenez absolument, vous aurez des policiers pour vous courir après.

– Avec des sifflets ? demanda Mina.

– Avec des sifflets, c'est entendu.

– Cela dit, poursuivit Dafna, on ne veut plus qu'il y ait des adultes énervés pour nous répéter des phrases agaçantes du genre : «Fais attention, mets ta cagoule, tiens-toi tranquille, finis ton assiette» ou «Tiens-toi droit». Voir des dangers partout, se déplacer sans zigzaguer, patienter, obliger les petits à obéir, ça doit devenir illégal!

Enthousiaste, la délégation de Coloriés applaudit Dafna.

– Je croyais que votre intention était de permettre aux adultes de continuer à vivre selon leurs coutumes? fit remarquer le chef de l'État.

– Écoute Président, coupa Cornélius, mes Rapporteurs et moi on trouve que les Culottés cassent les pieds des enfants depuis trop longtemps. Alors maintenant, on dirait qu'on aurait le droit d'inverser les choses!

– Cornélius président! Cornélius président! commencèrent à scander les Rapporteurs.

– Ah non! protesta le chef de l'État des Culottés en devenant tout rouge. Le vrai Président, c'est moi.

– C'est pas parce que t'as eu la place en prem's que c'est forcément toi! objecta Cornélius.

– Si, justement! C'est encore ma place pour trois ans!

– Ta place, on pourrait la jouer aux chaises musicales ou à la courte paille, proposa Mina.

– Il n'en est pas question! Mon élection se joue au suffrage universel.

– Justement, reprit Cornélius, nous on voudrait qu'il soit vraiment universel le suffrage.

– Que les enfants votent? demanda le Président qui s'y attendait.

– Tu trouves que les parents sont plus raisonnables que leurs enfants?

– Heu…

– À l'Assemblée nationale, c'est plein de papas et de

251

mamans déguisés en députés qu'arrêtent pas de se gronder, de dire des menteries, de cafter des méchancetés... de zouaver, mais pas avec le sourire !

– Donc on souhaite tous voter parce qu'on n'est pas des mineurs, des sous-hommes, des débilos, conclut Dafna. Et pis, à propos de chaises musicales, y a un autre truc important pour nous : on ne veut plus que les riches soient toujours les mêmes et pareil pour les pauvres. Les métiers de filles, il faudrait que les garçons y jouent aussi, et puis le contraire. Les commandeurs, on a envie qu'ils obéissent un peu de temps en temps. Les crâneurs aussi doivent arrêter de la ramener pour que les timides puissent se faire entendre. Faut échanger les places et les déguisements, et que ça tourne !

– Échanger les places..., répéta le vrai Président dérouté.

– Ça pourrait se faire aux chaises musicales ou à la loterie..., suggéra Dafna. Quand tu gagnes le bingo, par exemple, t'es marié illico à un héros de cinéma sexy et t'as des billets de concert, et des admirateurs qui te flattent, et des gaufres, et plein de déguisements différents, et des surprises tout le temps. Si tu tires un mauvais numéro, tu deviens ou pauvre à plein temps ou Président à l'année... parce que ton boulot, si t'es honnête, il est pas super poilant.

– À propos de gaufres, soupira Mina, on les attend encore...

– À la chantilly et gratos on avait dit, rappela Harold impatient. Si ça dure trop, même que je vais hurler jusqu'à ce qu'elles arrivent, les gaufres ! Et croyez-moi, je sais monter le son !

– Rassurez-vous..., répliqua le Président avec dignité.

On s'occupe des gaufres. Mais je désirerais revenir sur cette histoire de chaises musicales et de loto social...

– Vous n'y pensez pas ? s'indigna l'homme en noir en se raidissant encore plus que d'habitude. Ce serait... la pagaille ! On ne va tout de même pas échanger nos places dans la société française ! En tirant à la courte paille ou en jouant aux chaises musicales !

– Vous avez raison..., répondit le Président en se ressaisissant. Je suis tout à fait d'accord.

– Avec quoi t'es d'accord ? demanda Dafna qui commençait, elle aussi, à avoir envie de faire pipi.

Le Président prit alors une grande respiration et répondit d'une traite :

– Toutes ces propositions sont à étudier en commission consultative d'abord puis au sein de nos réunions de cabinet, enfin débattues en comité restreint, évaluées ensuite par mes conseillers personnels, puis renvoyées devant les instances appropriées de mon parti, enfin discutées par les partenaires impliqués et finalement proposées au Parlement, avant d'être soumises pour approbation au Conseil d'État qui, lui-même, pourrait bien saisir le Conseil constitutionnel pour avis, à moins que la Cour de justice européenne ne songe à...

– Ça va être long tout ça ? coupa Dafna. Parce que moi je vais bientôt faire pipi dans ma culotte...

– Arrête de nous baliverner, Président ! tonna Hippo qui était resté jusque-là en retrait et qui connaissait bien les ruses des Culottés. Tu dis juste oui ou non à nos requêtes.

– Eh bien...

– Non, il n'y a pas de *eh bien*. C'est *oui* ou *non*. Tu veux colorier la France, oui ou zut ?

253

– Mes chers enfants, commença le Président qui cherchait à flatter son auditoire, je suis d'accord pour que l'on réinvente totalement l'âge adulte. Je ne peux pas décider de sa suppression définitive. Mais je m'engage ici à ce qu'on imagine une nouvelle façon d'être adulte en Europe !

– Une façon toute nouvelle ? lança Dafna en souriant.

– Oui, à condition que vous cessiez immédiatement de vous attaquer au temps des grandes personnes. Si vous nous autorisez à rétablir la bonne marche des horloges, des ordinateurs et de tout ce qui fonctionne en mesurant le temps, nous acceptons de redéfinir le rôle des parents. C'est notre seule exigence !

– Mais alors…, fit Ari qui venait de rappliquer, le mot adulte il voudra dire quoi ?

– Amusons-nous à en débattre ! s'exclama le Président.

Ravis, les Coloriés l'applaudirent avec sincérité. Également réjouis, les huissiers se mirent à frapper dans leurs mains avec entrain, parce qu'ils étaient fatigués de leur boulot casse-pieds. Les secrétaires aussi rejoignirent ce mouvement de bonne humeur, puis les chauffeurs qui en avaient ras le bol de patienter dans la cour de l'Élysée. Eux aussi désiraient une autre existence d'adulte, plus rigolote. Tout le monde suivit et l'on s'aperçut soudain que la vie raisonnable des grandes personnes ne convenait pas à la majorité des grands ! Personne n'avait envie de sérieuser à longueur d'année, de regarder la télé au lieu de rencontrer de nouveaux amis, de jouer des rôles répétitifs, d'agendatiser son quotidien ! Les Coloriés ne l'avaient pas prévu mais, en luttant pour la libération des mineurs, ils s'étaient battus pour l'enfant qui survivait en chaque majeur !

Et puis les gaufres bien chaudes (et à la chantilly) finirent par arriver. On en distribua aux galopins, aux singes et aux chipies qui gloussaient dans les couloirs de l'Élysée mais aussi aux grandes personnes qui, toutes, avouèrent qu'elles adoraient ça, les gaufres ! Alors le grand débat national put commencer. On allait imaginer, tous ensemble, une manière inédite et enfin marrante d'être adulte !

10

Partout en France, les majeurs et les mineurs se mirent à rédiger des cahiers de doléances dans lesquels ils écrivirent (avec des lettres ou en rébus) ce qui ne leur plaisait pas, mais alors pas du tout, dans la vie trop grise des grandes personnes. On vit toute une nation se demander soudain pourquoi l'existence n'était pas organisée de façon à se poiler davantage ! Pourquoi les vieux mariés étaient-ils si nombreux à ne plus faire de surprises excitantes à leur femme ? Pourquoi, en grandissant fallait-il devenir raisonnable si l'on souhaitait être admis dans le club des Culottés respectables ? Tout le monde s'interrogea sur la nécessité de finir dans la peau d'un consommateur tristounet qui trahissait ses rêves d'enfant ! Parce qu'il faut bien le reconnaître, il y avait dans les rues de Paris beaucoup moins de pirates, de cosmonautes et de princesses que d'ex-enfants qui avaient tourné le dos à leurs rêves…

Les Coloriés s'installèrent à l'Élysée, afin de lire tous les cahiers bariolés qui arrivaient par la poste. Hippolyte traduisit les plus belles pages à ceux qui ne décryptaient que les rébus. Toute la population, y compris les élèves de maternelle, semblait vouloir colorier la vie. Les grands-pères et les grands-mères en avaient assez de se sentir inutiles et rejetés comme de vieilles chaussettes. Les tout-petits ne comprenaient pas pourquoi on les obligeait à porter (de temps en temps) des pull-overs qui grattent. Les étrangers en avaient ras le bol d'être regardés… comme des étrangers. Les femmes étaient en pétard d'être tout le temps comparées aux photos retouchées des mannequins qu'on publie dans les magazines (ça, c'est de la triche !). Les chiens souffraient des humeurs foldingues de leurs maîtres. Les professeurs auraient aimé enseigner des sujets passionnants : l'art de faire des croche-pattes à ceux qui resquillent dans les queues de cinéma, comment fabriquer de la fausse monnaie indé-tectable, l'histoire des grands séducteurs plutôt que celle des rois, etc. Les filles, dans leur ensemble, trouvaient qu'on ne dansait pas assez. Les gens seuls ne voyaient pas pourquoi ils le demeuraient. Les gros auraient tant aimé qu'on les trouve beaux. Les gauchers ne saisissaient pas pour quelle raison on avait tout organisé en fonction des besoins des droitiers. C'était trop injuste ! Les gentils réclamaient que les méchants arrêtent d'être sadiques une bonne fois pour toutes. Et puis tout le monde regrettait de n'être pas assez écouté. En somme, chacun pensait que la France pouvait être plus coloriée !

– Mais pourquoi avez-vous organisé ici une vie pas poilante du tout ? demanda un soir Ari au Président.

– Je ne sais pas…, soupira l'homme d'État en jouant au bilboquet (en fait, c'était une mappemonde jouétisée).

– Moi, je propose que tu fasses voter une loi sur le bavardage, suggéra Ari.

– Le bavardage? s'étonna le chef de l'État.

– Oui, il faut que tout le monde ait le droit de parler aux autres dans la rue, même si on ne se connaît pas. Ce serait plus rigolo!

– Accordé, répondit le Président.

– Et puis il faudrait aussi une loi pour devenir invisible.

– Invisible?

– Aux yeux des autres. Quand on désire que personne ne nous embête, vraiment personne, il suffirait de se peindre la bobine en blanc.

– La bobine?

– La frimousse. Du coup, on dirait qu'on deviendrait invisible pour les autres.

– Également accordé, ajouta le Président qui se disait en son for intérieur que ça l'aurait bien arrangé s'il avait pu, de temps à autre, devenir invisible aux yeux de ses concitoyens. D'autres requêtes?

Ari, Dafna, Hippo et les autres ouvrirent les cartons remplis de cahiers et, avec joie, commencèrent à proposer des lois qui leur ressemblaient. C'est ainsi que les *girls* et les femmes obtinrent l'autorisation de grimper dans tous les arbres de France. L'armée reçut l'ordre de prêter ses uniformes de parade (et du matériel tout neuf) aux enfants afin qu'ils organisent des défilés dans les squares le dimanche. Les porte-avions devinrent des pistes de skate-board et l'on vit des bandes de godelureaux s'offrir des courses de tank gratuites sur les Champs-Élysées. Les piétons se mirent peu à peu à se parler plus facilement et donc à se faire de nouveaux copains dans les rues. Les grandes personnes recommencèrent à apprendre des choses tous les jours (comme les écoliers) et, du coup, à changer aussi vite que leurs enfants. Quelques mois plus tard, on demanda au Président son âge dans une interview à la télé et chacun put l'entendre répondre avec naturel :

– Cinquante-huit ans et demi !

– Pourquoi dites-vous et demi ? s'étonna le journaliste.

– Parce qu'il y a six mois, je n'étais pas tout à fait le même individu, comme mes filles.

Cette réplique frappa les esprits et, à compter de ce jour, les adultes recoloriés se mirent à exprimer leur âge en employant les demi, à la manière des enfants. Sous l'impulsion d'une loi souriante, la coutume de se déguiser se répandit, ce qui ne changea pas beaucoup les pratiques adultiennes, vu que les grands portent souvent des costumes au boulot. Mais, désormais, les juges habillés en juges surent qu'ils portaient de véritables déguisements et ils en devinrent plus drôles. Quand on croisait un policier ou une infirmière, on prit l'habitude de leur demander s'ils étaient déguisés pour un anniversaire ou s'ils étaient un vrai policier en service ou une infirmière pour de vrai. Alors, forcément, tout le monde se prit moins au sérieux !

Grâce à une loi sur la liberté des enfants, l'obligation d'obéir à ses parents fut abolie. Quelle fête ! Dans le même esprit, les écoles cessèrent d'être fermées à clef. Les profs osèrent soudain s'amuser à enseigner, en oubliant les programmes monotones, ce qui leur procura de merveilleuses satisfactions. Les plus âgés des élèves frimèrent en montrant aux minots ce qu'ils savaient déjà. Le savoir devint un outil pour crâner devant les filles ! On s'échangea des connaissances dans les cours de récré, comme on échange des billes.

Assez vite, une loi chantée obligea tous les propriétaires d'oiseaux à ouvrir les cages. Prenant exemple sur le zoo de Vincennes, les parcs zoologiques firent de même (sauf pour les loups et les lions voraces). Tous se transformèrent en hôtels à bêtes où l'on offrait une litière propre et des repas gratos aux marsupiaux, mammifères et autres ovipares. Pendant la journée, les animaux se mêlaient donc aux humains dans les rues et la cohabitation se passait plutôt bien. Les autruches parisiennes se rassemblaient les jeudis à Pigalle, devant le Moulin-Rouge, sans que l'on sache exactement pourquoi. Les zèbres, eux, s'égaillaient sur la colline de Montmartre, tandis que les singes établirent leurs quartiers sur les bancs de l'Assemblée nationale.

Des machines extraordinaires virent le jour. Sur la place de la Concorde, le Président veilla au montage d'une gigantesque machine à partir en vacances sur place. Cent wagonnets transportaient les voyageurs sédentaires dans des décors en trompe l'œil qui évoquaient l'île de la Délivrance ! Tout Paris venait s'y dépayser. Les Coloriés installèrent également des toboggans géants qui partaient du premier étage de la tour Eiffel. Les Parisiens remuants s'y bousculèrent. Le nombre de trottinettes en circulation augmenta rapidement. La ville changea peu à peu d'aspect. On livra même sur les berges de la Seine des tonnes de sable fin. Aussi incroyable que cela puisse paraître, les quais de la

capitale furent aménagés en vraie fausse plage avec des parasols !

Mais ce qui changea tout, ce fut la grande loi sur le jeu amoureux. Désormais, il fut interdit en France d'aimer sérieusement les filles (et les garçons). Dafna et Hippo, toujours disposés à se poiler ensemble, montrèrent l'exemple en acceptant d'être filmés en continu par une équipe de télévision. Les Français purent découvrir ainsi comment deux Coloriés s'y prenaient pour faire de leur amour un jeu permanent. Le succès de cette émission fut tel que tous les amoureux de France, vieux et jeunes, les imitèrent avec jubilation !

Naturellement, les Coloriés tinrent parole. Ils cessèrent de s'attaquer au temps des adultes. Les horloges recommencèrent à fonctionner. La vie économique put donc repartir dans la tranquillité. Mais le travail fut solennellement déclaré moins important que le jeu ; alors chacun se mit à turbuler en exerçant son métier. Les garçons de café montés sur rollers prirent le pli de servir en chantant. Les hommes politiques furent nombreux à suivre des cours de claquettes pour danser en première partie de leurs meetings. Quelques journalistes radio apprirent à imiter les voix de leurs invités, histoire de rendre leurs interviews plus hilarantes. Les psychiatres montrèrent aux fous qu'il était possible de s'amuser à copier le comportement des gens dits normaux. Le journal télévisé du soir se mit à raconter des farces de façon consciente. La bourse se transforma pour de bon en un énorme jeu vidéo, une sorte de Monopoly électronique où l'on pouvait licencier les patrons et gagner des sucettes. Tous les métiers jouétisèrent leurs pratiques. Et le Président cessa d'ennuyer la population avec ses discours pas drôles du tout. Il ne vint plus à la télé que pour lire des histoires aux Français, des histoires bidonnantes bien entendu.

Mais, dans l'ombre, un irréductible Culotté cuvait sa rage. S'il ne devait rester qu'un seul adulte authentique en France, Casimir entendait être celui-là. Lui seul continuait à travailler sans bonheur. Lui seul s'appliquait à aimer à contrecœur une épouse austère et revêche. Lui seul refusait obstinément de parler aux gens dans le métro. Lui seul conservait chez lui un oiseau enfermé à double tour dans une cage en acier. Lui seul militait pour l'interdiction des lits superposés et des échasses. Lui seul flanquait encore des taloches aux moutards qui passaient à portée de ses mains. Politiquement ratatiné, Casimir ruminait sa vengeance et injuriait les citoyens qui osaient jouer à des jeux d'adultes tels que le poker ou la roulette. Intégriste de la cause culottée, ce furieux calomniait tout individu souriant, tout mari désireux de faire rêver sa femme. Quand on lui demandait ce qu'il faisait de ses journées, il répondait avec fierté :

– Je trahis mes rêves d'enfant, moi ! Je bloque mes émotions, moi ! Je ne suis pas là pour rigoler, moi !

Casimir adorait ne pas aimer. Il ne se faisait plaisir qu'en se contrariant. Adultissime, l'énergumène amer ne s'épanouissait que dans la crispation et les sentiments noirs. Frustrer les autres et lui-même l'enchantait ! En somme, c'était une grande personne à l'ancienne. Humilié, Casimir attendait son heure. Mais il en était sûr : un jour ou l'autre, les adultes renonceraient à la joie de vivre, rétabliraient l'ordre parental ! Alors triompheraient les mères raisonnables, les pères sévères et les professeurs sérieux !

Mais pour l'heure, la France se désadultisait sans complexes. La tour Eiffel venait d'être repeinte aux couleurs de l'arc-en-ciel. Le point d'interrogation était enfin à la mode. Autour de quatre heures et demie, on goûtait dans la plupart des restaurants de la capitale. À Paris et dans toutes les provinces, les arbres à filles se peuplaient de copines gazouillantes qui se racontaient des histoires de garçons. Mais surtout, l'enfant qui survit en chaque grande personne se réveilla enfin, d'un bout à l'autre du pays !

Le Président avoua en public qu'il n'avait pas été élu chef de l'État pour s'occuper de problèmes enquiquinants mais bien pour réaliser ses rêves de gamin. Alors il proposa aux Français de tous les âges de se transformer en héros de leur propre vie le jour de la fête nationale. Le 14 Juillet suivant, le Président se déguisa donc en

Napoléon afin de passer dignement en revue les armées de la République, comme dans un songe. Il parada en chevauchant le zèbre d'Ari qui, lui, s'était déguisé en vrai Président ! La foule, massée sur les Champs-Élysées, était constituée d'institutrices travesties en princesses, de toreros qui avaient des allures de déménageurs ou des expressions de bouchers. Il y avait là des postiers, des fonctionnaires et des informaticiens sanglés dans des vareuses de capitaines de navire ou portant des uniformes de pompiers. On apercevait également des cosmonautes à lunettes voûtés par les ans, des employés de bureau revêtus de costumes à paillettes de stars, des bossus qui se redressaient fièrement, des aveugles hilares sans canne blanche, des muets qui chantaient à tue-tête *La Marseillaise*. Quelques vieillards asthmatiques (équipés de tubas) s'étaient glissés dans des combinaisons d'hommes-grenouilles, tandis que d'anciennes mariées ridées avaient ressorti leur vieille robe blanche du grenier. Toute une nation d'ex-enfants osait afficher gaiement ses rêves d'antan. Les minots, eux, se promettaient bien de ne jamais trahir leurs jeunes années. La joie de vivre était devenue la religion de tout un peuple recolorié !